Miljenko Jergović

# Muškat, limun i kurkuma

Jutarnji list

IZDAVAČ
*EPH Media d.o.o.*
*Koranska 2, Zagreb*

GLAVNI UREDNIK JUTARNJEG LISTA
*Mladen Pleše*

ZA IZDAVAČA
*Ninoslav Pavić*

UREDNIK
*Gordan Zečić*

Miljenko Jergović

# Muškat, limun i kurkuma

ZAGREB, 2011.

# Na početku, Baltazar

Kada sam u svibnju 1993. došao u Zagreb, gdje ću, spletom okolnosti, vlastitom inercijom, te iz razloga koji se tiču moga privatnog odnosa prema tom lijepom i tužnom gradu s krajnjih rubova Bernhardove Austrije i Krležina Balkana, na kraju i ostati i zasnovati svoje dugo stranstvovanje, jedno od prvih mjesta koje sam pohodio bio je restoran Baltazar. Smješten na Novoj Vesi, malo iznad Kaptola, u kvartu prebendarskih kurija, popovskih i biskupskih rezidencija, knjižara s vjerskom literaturom, koje sam pohodio za dječačkih i mladalačkih posjeta gradu, tokom osamdesetih, kada je u tim knjigama i novinama, i na tom povlaštenom, nad gradom blago izdignutom prostoru, hrvatskome Vatikanu, bilo neke privlačne, opasne opozicijske mistike i misterije, koja je adolescentu prijala, jer mu se činilo, posve krivo, kako tu, na Kaptolu, započinje ona Poljska, koja nam se tada, zahvaljujući grafički efektnom logotipu Solidarnošći, i silnoj književnoj i filmskoj kulturi koja ju je pratila i podržavala, činila tako silno privlačnom. Kada sam, u ta vremena, u knjižari Kršćanske sadašnjosti, našao Odabrana djela Grahama Greenea, kojih nije bilo u našim, civilnim, knjižarama, doista sam bio povjerovao kako iza kaptolskih zidina žive neki mudri ljudi, koji nemaju namjeru tamjanom kaditi po našoj građanskoj svakodnevici, nego će nam donijeti neku novu, bogatiju i slobodniju kulturu, e ne bi li nas preko kulture evangelizirali i priveli dragome Bogu. Bio sam u krivu, ali svejedno, nikad Kaptol i Nova Ves za mene nisu sasvim izgubili taj čar tajanstva i kulturološke urote, makar i kao fikcije s temom sjećanja na djećaštvo. Možda me je sve to vodilo da šećući Kaptolom, tog svibnja, pred dvadeset sedmi rođendan, uđem u Baltazar.

Bio je to skup, ali jednostavno koncipiran restoran, u kojem se, kao i danas, jelo meso s roštilja, »zapečeni grah«, »složena salata sa sirom«. Zapečeni grah bio je vješta imitacija jela koje se nekada zvalo gravče na tavče, samo što više nije bilo originalnog graha tetovca, jer se njegova domovina našla iza sedam crta balkanskih fronti, a »složena salata sa sirom« bio je tipični hrvatski, brozovićevski naziv, kao da je izjezičen u tadašnjem književno-lingvističkom laboratoriju Leksikografskoga zavoda Miroslav Krleža, za šopsku salatu. Tu sam se, u Baltazaru, tog proljeća i ljeta, barem jednom tjedno, učio novom hrvatskom jeziku, bez obzira na to što moja tadašnja plaća (koju mi je, ne krijem to ni danas, isplaćivao Miroslav Kutle) baš i nije dostajala za takav izbor restorana, i bilo bi razumnije da sam njome namirivao neke druge životne troškove, ali hrana mi je i tada bila jedino životno zadovoljstvo čija se ljepota ne može precijeniti. Konačno, što vam preostaje kao podstanaru iz nekoga sumnjivog potkrovlja, izbjeglome iz grada u kojem je preživio petnaest mjeseci opsade, i nesigurnom u to dokle bi morao ići i gdje bi se trebao zaustaviti, nego da se iz istih stopa zaputite u najbolji restoran? Nema ispravnijeg mjesta i hrama, na kojemu bi čovjek čuvao svoje dostojanstvo i svako svoje građansko i manjinsko pravo, uključujući ono najvažnije: pravo na slobodnu samoću. O tome je ponešto napisao i Witold Gombrowicz, u svojim Dnevnicima, napominjući, recimo, i to kako nikad, ni uz kakve intelektualne napore, kolektivističke bludnje i ideološke nadgradnje, jedno ćufte neće postati dobar biftek na žaru.

Da, tako je, biftek na žaru moja je mjera u životu i u Baltazaru. U ovih osamnaest godina taj biftek je ostao isti, jednako sočan, ukusan i supstancijalan u svojoj biftekovskoj naravi. Sve se u međuvremenu mijenjalo, kvarilo i izokretalo: novine, knjige i novinski izdavači. Urušavala se i runila svaka naslućena tradicija. Nakon nekoliko dana, mjeseci ili godina, više se nitko ničega ne bi sjećao, jer ništa u ovoj kulturi ionako nikada nije ni bilo važno, osim pokojega fosila i starine za pokazivanje strancima, i ponekoga mrtvaca, na čijoj bi biografiji parazitirali kadaverski crvi nacionalne književnosti. U tom blaženom truljenju, koje, zapravo, nikome ne smeta, iako će zasmetati svaki kojem dotično truljenje smeta, biftek na žaru, u jednome nadkaptolskom restoranu, najvrednija je kulturna tradicija. Ne mogu se sjetiti ničega što bi trajalo u kontinuitetu svih osamnaest mojih zagrebačkih godina, što bi povezivalo to vrijeme, predstavljalo njegovu antologiju i njegove plejade. Stoga bi Baltazarovom bifteku vrijedilo posvetiti skupu i bogatu monografiju, koju bi, umjesto svih tih besmislenih hongkonških filmova sa sljemenskih obronaka i još besmislenijih jednokratnih filmskih festivala, financirali Ministarstvo kulture i Zagrebački gradski ured za kulturu. Svaka se kultura, pa čak i urinokultura, zasniva isključivo na trajanjima i tradicijama, na razvoju bolesti ili stilskog pravca, umjetničkog pokreta... Ako nema kontinuiteta, tada ne može postojati ni diskontinuitet, ne može postojati kultura. Ja se, eto, u ovih osamnaest godina, u ovdašnjoj književnosti, umjetnosti i kulturi, ne uspijevam sjetiti drugog kontinuiteta, osim Baltazarovog bifteka na žaru.

Razlika između kapitalističke korporacije, koliko god ona ozbiljna i odgovorna bila (a u nas takvih nema — ozbiljnih i odgovornih) i radionice za proizvodnju kulturnih vrijednosti u najširem smislu riječi — muške i ženske konfekcije, gumenih lopti, novina, knjiga ili hrane — sastoji se u odnosu prema radu i radnicima. Korporacije su sklone »provjetravanju«, kako nazivaju otpuštanje radnika, te zato ništa i ne proizvode, osim ucjena šire društvene zajednice i države, viška kapitala, brenda i socijalnih fiksacija. Radionice, pak, vode računa o tome da su radnici jedini u stanju proizvesti specifičnu razliku u proizvodu, ono što sve zagrebačke bifteke razlikuje od Baltazarovog, koji se, eto, ne mijenja već osamnaest godina. Ne mijenjaju se ni Baltazarovi konobari i kuhari, kao ni ono sitno i nevidljivo restoransko osoblje. Osim što je to samo po sebi vrijednost, i što proizvodi tradiciju u političkome, ideološkom i kulturnom smislu, to je i odgovor zašto je Baltazarov biftek bolji od drugih.

Mjereći vlastitu biografiju Baltazarom, čini mi se kako se u tom vremenu, zapravo, ništa nije ni promijenilo. Samo je sve jasnije, čišće i bistrije, i sve je izvjesnije da iz Zagreba skoro neću odlaziti. U međuvremenu mi se, naime, svidjelo biti tu. Ono što je u ovom gradu visoko, doista je visoko, i čuda se mogu vidjeti po tim fasadama, po lijepim počivavšim licima hrvatske književnosti i kulture, i na pitomim i pametnim licima zagrebačkih mesara i piljara, a što je u Zagrebu nisko, to je stvarno toliko nisko da čovjeka takva niskost nužno mora razveseliti i obodriti, poput vonja amonijaka iz javnih zahoda po krajputaškim krčmama, u kasno doba noći, negdje na Ličkoj magistrali, kada se čovjeku jako pripiša, a pomalo se plaši da bi ga neprijatelj na pišanju mogao ščepati za gušu i priupitati zašto mrzi Hrvatsku i sve što je hrvatsko. A sve zahodske informacije su, naravno, stigle do ličkih vukojebina iz Zagreba i iz tamošnjih uglednih institucija hrvatske kulture, čiji je, izgleda, glavni zadatak spriječiti poštena čovjeka da u miru piša po provinciji. Zato postoji jedan restoran, koji će nadomjestiti insuficijenciju metropolskih kulturnih tradicija. Da nije Baltazara, ne znam čime bih mjerio svoje zagrebačko vrijeme, a nečim se mjeriti mora. To je najvažniji smisao tradicije.

# Julian Kornhauser, poljski pjesnik Srba i Hrvata

Jesenas, u Krakovu, vidio sam najljepšu slijepu djevojku u životu. U kasni sumrak, ispod kraljevskoga dvorca, s dizajnerskim tamnim naočalama, odjevena upravo za taj čas, kuckala je svojim štapom, kao dirigentskim štapićem, po rubu pločnika, upravo se spremajući da pređe ulicu, kad su joj, s dvije strane, pritrčavala dvojica muškaraca, jedan je bio mladić, a drugi stariji, da joj pomognu preći. I tako je učas zamaknula za moj pogled, dok ju je stariji držao pod ruku, počašćen rijetkom prigodom, odabran i odveden kao u nekoj bajci, voljom slučaja i lijepe kraljevne. Pomislio sam kako je, vjerojatno, više nikada neću vidjeti, i kako je i njezina začudna ljepota upisana u razglednice i turističke vodiče Krakova, uz Wawel i jevrejski Kazimierz, gdje sam, u jednome malome hotelu, usnio san toliko neobičan da sam ga ujutro pamtio; uz zgradu u kojoj je zadnje godine života proveo Czesław Miłosz, uz Polanskog, Wajdu, Herberta, Szymborsku i Zagajewskog, koji su tu živjeli i žive, i uz Ivu Andrića, koji je u Krakovu studirao, i evo u ovoj kafani provodio slobodno vrijeme, melankoličan i jektičav, sasvim u pričama i legendama svoga otomanskog sentimenta. I već sam žalio za Krakovom, i za tom slijepom djevojkom, i za svakim danom u svome životu koji nisam, ili koji neću, provesti u Krakovu. Išao sam na predstavljanje poljskih prijevoda Freelandera i Rute Tannenbaum, što će trajati satima, kada ću se s ljudima koje razumijem, i koji razumiju mene, ispričati i napripovijedati za dane, mjesece i godine šutnje. Jesenas, u Krakovu, prošla me je volja od ćaskanja s onima s kojima se nema što razgovarati. Takvih, srećom, nije bilo, jesenas, u Krakovu.

U publici, na predstavljanju, nije bilo ni Juliana Kornhausera, najpoznatijega krakovskog profesora srpske i hrvatske književnosti. Žao mi je što ga nisam sreo, ali mi je istovremeno i drago što nije došao, jer mi se čini da bih pred njim zanijemio. Jedan od najvećih poljskih pjesnika, koji je sa Zagajewskim 1972. potpisao Nepredočeni svijet, divan buntovnički manifest, koji smo, desetak godina kasnije, zajedno s njihovim pjesmama, čitali u nizu fantastičnih i fatalno pravovremenih prijevoda beogradskih, zagrebačkih i sarajevskih polonista, čime je poljska poezija u našemu sentimentalnom i književnom odrastanju podijelila utjecaj s grupom The Clash i čitavom punkerskim naraštajem. I tako smo, preodgajani i usmjeravani, stigli tu gdje, zapravo, i danas jesmo, kada, kao sredovječni ljudi, rasuti po šaru zemaljskom, kao izgnanici iz svoga povlaštenog prostora i iz vremena u kojemu smo odrastali, čitamo pjesnike i slušamo hitove na radiju, koji na nas više ne mogu imati takvog utjecaja. Fiziologija kaže da je razlog tomu što smo već stari i nepodesni za učenje i udivljenje, ali estetika i poetika vele nešto drugo. Preveliki su, naime, poljski pjesnici da bi ih sad netko u nama nadrastao. Zato je dobro što Kornhauser nije mogao doći, jer od moga udivljenja ne bismo imali koristi, ni publika, ni on, a bit će, ni ja.

Ovih dana, prateći zagrebačke demonstracije sa distance od četristotinjak kilometara, koja neusporedivo većom biva kada se prevede u intelektualne i emocionalne razdaljine, pomislio sam na, vjerojatno i najpoznatiju, pjesmu Juliana Kornhausera, objavljenu u barem sedam različitih hrvatskih, srpskih i bosanskih prijevoda, i uvrštenu u nekoliko ovdašnjih antologija svjetske poezije, uključujući i onu, izvrsnu, koju je prije dvadesetak godina, u dva toma, za beogradsku Prosvetu priredio Raša Livada, pa je objavljena u istoj ediciji u kojoj i Gombrowiczevi Dnevnici. U toj pjesmi već je i sam naslov cijela jedna pjesma. Evo ga, skupa sa stihovima koji za njim slijede, ovoga puta u prijevodu Zdravka Malića:

Kada ugledaš gomilu, vrati se brzo kući

Kada ugledaš gomilu, vrati se brzo kući,
ponijet će te u plamenu državu,
zaustaviti dah, odvesti s onu stranu brave
bespomoćnosti, otvoriti dućane srca. U kući te
čeka antikomunizam, ostava
puna zimskih zaliha. Ni lijevo,
ni desno, upozorava te djed, koji je
preživio dva rata i zna što govori. Zapravo,
ako pogibaju ljudi u nekom tuđem gradu,
koji posjećujemo za vrijeme raspusta, možemo
mirno sjesti za demokratski stol ručka
i čekati što će biti. Eventualno objaviti štrajk glađu.

Kao i svaki dobar književni tekst, ova je pjesma poliperspektivna. Napisana je prije više od četrdeset godina, prije već pola stoljeća skoro, u Poljskoj, zemlji znamenitoj po građanskim demonstracijama i kojekakvim drugim akcijama građanskoga neposluha, ali i u zemlji u čijem društvenom životu tada, kao ni danas, antikomunizam i fašizam nisu bili skoro sinonimski bliski, kao što su to u Hrvatskoj i diljem bivše Jugoslavije, te zemlji u kojoj pojam građanskoga otpora ili građanskoga stava, još od 1945. (ili možda 1939.) nije stajao u oporbi prema pojmu patriotizma, domoljublja, poljskosti. Poljska, naime, bez obzira na sav poljski šovinizam ili antisemitizam, i bez obzira, recimo, na to što su se zločini nad Židovima u Poljskoj događali i nakon oslobođenja zemlje, nikada nije — kao što je tačno pjevao i Džoni Štulić — dala kvislinga. Ali u Poljskoj otpor fašizmu nisu pretežito vodili komunisti, pa Poljaci danas nemaju potrebe da izmišljaju biskupe i nadbiskupe, nositelje najviših poglavnikovih ordena, koji bi saveznicima, tobože, dojavljivali njemačke položaje. Zbog svega ovog riječ »antikomunizam» ima drukčiji smisao nego što bi ga imala u nas, premda je izrečena s dobrom mjerom ironije, kao element tople kućne atmosfere. No, činjenica je da prije tridesetak godina, kada sam pjesmu prvi puta čitao, nisam tačno mogao znati što ta riječ znači i na kakav ju način mogu osjećati. Kao što nisam mogao znati ni šta su, zapravo, demonstracije, i kako dramatičan, zapravo, jest stih: »Kada ugledaš gomilu, brzo se vrati kući». Napokon, ni sva ta ironija nije mi tada, u to samoupravno doba čiste naivnosti i iredentističkih demonstracija na Kosovu, mogla biti do kraja jasna. Protagonist Kornhauserove pjesme je, za razliku od djeda koji mu kaže »ni lijevo, ni desno«, intimiziran s ulicom na kojoj se demonstrira, na jednak način kao s vlastitim domom. Ili je s ulicom intimniji nego s dnevnim boravkom. Zato on prema intimi doma iskazuje otvorenu ironiju. O, kako je tek to u ono vrijeme moralo biti neshvatljivo jednome ovakvom čitatelju!

Zatim su tekle mijene, učili smo se ratovima i demonstracijama, samo što su u nas, za razliku od Poljske, i ratovi i demonstracije mogli biti vođeni, i vode se, u obranu građanskih i ljudskih prava, ali i u ime strašnoga, ljudožderskog moloha nacije. Za razliku od Poljaka mi smo imali kvislinge, i ti su kvislinzi i danas neumrli u našim srcima i glavama, i na našim demonstracijama. Ali i onda, kao i danas, perspektiva glavnoga junaka, onoga kojemu, kada dođe kući, govore »kada ugledaš gomilu, brzo se vrati kući«, bila je ta koju čovjek i pameću, i srcem bira. Istina, važno je, radi unutarnje ravnoteže, te da čovjek ikarovski ne uzleti put neke nove ideološke vjere, da postoji djed koji insistira: »ni lijevo, ni desno». Na toj je ravnoteži postavljen svijet u kojemu se ima smisla boriti za nešto, vodeći, naravno, računa da te, kao pojedinca, ne proguta gomila. Ili da greškom ne zalutaš na krive demonstracije, tamo gdje se mrzi svaka manjina i gdje bi razbojnici u ime narodne pravde da sude samima sebi i svojim razbojstvima.

Lijepa je i upozoravajuća Kornhauserova pjesma. Ovi su hrvatski zimski dani pravo vrijeme za nju. Važno je i u vrijeme demonstracija imati svoju pjesmu. Ona je orijentir, svjetionik u općemu mraku. Po pjesmi se demonstracije razlikuju jedne od drugih. Po njoj se pjesnici i pojedinci razlikuju od gomile, od koje, u našemu slučaju, doista valja bježati kući. A i kuća je, ponekad, negdje drugdje. Kao jesenas, u Krakovu.

# Ilija Ladin, radost i patnja

Ime Ilije Ladina sporadično se spominje u pregledima i antologijama hrvatske poezije, ali kao ni za tolikim drugim piscima, rođenim u susjednoj Bosni, ni za Ladina književni Zagreb nije imao interesa. Kada je jedan važni pjesnik, također Hrvat iz Sarajeva, kod predsjednika Društva hrvatskih književnika — u ono vrijeme, srećom, jedine nacionalne književne asocijacije — pokušao urgirati da se onemoćalom Iliji pronađe mjesto u nekome zagrebačkom ili hrvatskom staračkom domu, predsjednik društva, pjesnik, akademik i ugledni antologičar, poručio je da se tu ništa ne može učiniti. Ni u jedan starački dom, ni u jednu hrvatsku ubožnicu i ludnicu, nije bilo moguće antologizirati Iliju Ladina. Umro je prije skoro deset godina, 23. listopada 2001, pažen i obilažen od gradskih pisaca kojekakvih nacionalnosti, u sarajevskome domu staraca. Dvije ili tri godine ranije, nakon jednog neurološkog ispada, naglo je zaboravio sve. Nije pamtio ni to da je ikad bio pjesnik.

Rodio se, kao Ilija Kozić, 1929, u selu Stratinska, kod Banje Luke. Ladinom se prozvao po ocu Ladi. Kasno je završio osnovnu školu, gimnaziju je pohađao u Travniku, Zagrebu i Banjoj Luci. Odrastao je u poslijeratnom siromaštvu i jadu, vazda ovisan o tuđoj dobroti. Završio je romanistiku, a zatim je kroz cijeli svoj radni vijek predavao francuski i latinski jezik, uglavnom po seoskim školama srednje Bosne, i na »određeno vrijeme«. Jednom je tako bio bez posla, a u nekoj školi iznad Kaknja tražili su nastavnika njemačkog jezika. Javio se, i zatajio da ne zna ni jedne njemačke riječi, niti je ikada učio taj jezik. Primili su ga, nakon čega je on, zajedno sa svojim đacima, učio njemački i bio im dobar učitelj.

Prvu knjigu pjesama objavio je kada mu je bilo već skoro četrdeset. Zvala se »Prije tebe ničega«. Zatim je tiskao još desetak zbirki, i u većini njih opsesivno ponavljao neke od svojih pjesama, ali uvijek u različitoj verziji, popravljene, izmijenjene, ali i pokvarene, razrušene, banalizirane pretjeranim dotjerivanjima. Ništa što bi učinio ili napisao za njega nikada nije bilo konačno i definitivno. Po svojoj temeljnoj pjesničkoj inspiraciji, Ilija Ladin bio je sljedbenik svetoga Franje. Razgovarao je s Bogom i sa pticama (jedna knjiga mu se zove »Pjesme o pticama«), i bavio se prvim i posljednjim pitanjima ljudskosti: zašto i čemu zlo, zašto ljudi ubijaju jedni druge. Sve što je na zemlji živo, dosljedno je doživljavao jednakim po važnosti: svo bilje i sve životinje, skupa sa čovjekom, bili su, u Ilijinom doživljaju svijeta, dio jedne velike cjeline. Pjesme su mu bile ritmične, često himničnoga tona, s puno ponavljanja i inkantacija. Bio je veliki pjesnik, ali je u toj konstataciji od pridjeva neusporedivo važnija imenica. Velikih je, naime, u bosanskohercegovačkoj i u hrvatskoj poeziji našega vijeka bilo više, i još ih se nađe među živima, ali baš ni za koga se ne bi moglo reći da je bio više pjesnik, ili da je bio toliko pjesnik koliko je to bio Ilija Ladin.

Ovaj posljednji rat preživio je u Sarajevu. U stvaralačkom je smislu to za njega bilo iznimno plodno razdoblje. Napisao je stotinjak »ratnih« pjesama, i skoro je svaka bila izvanredna, začudna u svojoj elementarnosti. Saživljen s patnjom i nesrećom, sretan i u vlastitoj nesreći, Ilija je o ratu pisao načinom u kojem se starozavjetno proroštvo susretalo sa čistom, gotovo djetinjom lirikom. Poslušajte, recimo, ovo: »Smrt ima posla po gradu danas nemoj / Nemoj dijete i ti / Imati /// Smrt gleda kroz prozor na te danas nemoj / Nemoj dijete / I ti / Gledati /// Ono smrt u grimizu i svili plovi / Nije oblak / Nije nebo / Plavo«. Dok su drugi patili, rušili se u sebe, dok su se drugi mijenjali onako kako se oko njih mijenjao sav njima poznat svijet, Ilija Ladin je, nepromijenjen, pisao svoje pjesme, samo s još većim žarom nego prije, većom potrebom da se opiše radost postojanja i bivanja, koja je za njega ionako oduvijek bila radost postojanja i bivanja u patnji.

Jedna od pjesama koju je najdulje pisao, mijenjao i varirao je iz zbirke u zbirku skoro trideset godina, a da ju nikada nije smatrao dovršenom, zvala se, u jednoj od posljednjih verzija, »Račun svodeći«, i ovako je išla:

Samo san: o tom san
I obilje mene što već jede mene

Nije počelo nije još ništa ili gotovo ništa
Ali jest moja patnja počela ona je počela: davno
Pod vjeđama moj san: još ničega ovdje
Pod nogama moj put: još ničega tamo
Na izmaku snaga samo san: o tom san
Nije počelo nije još ništa ili gotovo ništa
Ali jest moja patnja počela ona je počela: davno
Pod datumima san: ništa upisano
Pod naslovima san: sve je prazno ispod
Na svim kazaljkama: vrijeme je odavno
Nije počelo nije još ništa ili gotovo ništa
Ali jest moja patnja počela ona je počela: davno
Pod zvijezdama san: još ničega dolje
Pod oblacima san: još ničega gore
Na izmaku snaga samo san: o tom san

Nije počelo nije još ništa ili gotovo ništa
Ali jest moja patnja počela ona je počela: kakav divan
početak!

U tu je pjesmu stalo sve Ilijino, i ona je, zapravo, cijela njegova biografija. Sve drugo samo je proza i anegdota, koji u životu ovakvoga pjesnika služe samo tome da zabave suvremenike: one koji bi za sebe rekli da se u poeziju ne razumiju, i one koji na Filozofskom fakultetu u Zagrebu primaju plaću, jer posjeduju ispravne i uredno ovjerene potvrde kako se u poeziju sasvim razumiju. U jednoj od takvih anegdota, recimo, Ilija Ladin je početkom sedamdesetih kupio auto, citroën dianu, premda nije imao položen vozački ispit. Smjestio je dianu u dvorište, i godinama je promatrao kako stari, hrđa i trune. O njezinom je propadanju napisao barem jednu pjesmu, a u mnogim se njegovim stihovima i pjesmama sudbina tog auta javlja mimogred i u primisli. A druga anegdota priča kako je Ilija putovao u Pariz, obilazio grad svoga akademskog zvanja i jezika, i slikavao se po onim fotografskim automatima, koji bi izbacili po šest slika, ali se trudio da na svakoj slici ima drukčiji izraz lica... To su, dakle, anegdote, dok je biografija Ilijina u njegovoj pjesmi.

Teško je čovjeku snaći se u bijedi, u manjinstvu i u samoći, koja nikada nije tako izražena kao u ratu, pogotovu onakvome ratu kakav je bio sarajevski, kada svakodnevica granata i snajpera čovjeka svede na glad, žeđ i strah od smrti. A uz to sve: na čistu radost života, na koju se Ilija Ladin pripremao i koju je poznavao još puno prije ovoga rata. Početak njegove patnje zbilja je bio divan početak. Zato o ratu nitko nije pisao takve pjesme kao on, i zato se njegove pjesme o ratu nimalo ne razlikuju od njegovih pjesama pisanih prije rata. Rat je za njega bio samo jedno od obličja patnje, jedno od iskušenja Ilijine pjesničke i životne radosti.

Ne znam je li akademik Ante Stamać u svoju antologiju vajkadašnjega hrvatskog pjesništva uvrstio Iliju Ladina. Teška mi je, prsti su mi suhi da bih je listao i u njoj išta tražio. Ali nadam se, bez imalo zlobe, iskreno se nadam, da je akademik Stamać poštedio Iliju takve časti. Premda je Iliji Ladinu, koji je rano pregorio sve ceremonijale urednoga građanskog bivanja, i pristao je da bude oriđinal i ridikul u svemu, osim u poeziji, zbog nečega bilo ozbiljno stalo da mu se priznaju njegovo hrvatstvo i pripadanje hrvatskoj književnosti i kulturi, od te je časti akademik Stamać nužno trebao Iliju spasiti. I dobro je, plemenito je učinio, ako ga je hrvatske književne priznanice lišio, kao što je dobro i plemenito učinio kada je, s naslova predsjednika DHK, u Sarajevo odgovorio da u hrvatskim i zagrebačkim ubožnicama za ovoga pjesnika mjesta nema. Doista, bilo bi duboko pogrešno kada bi u knjigama pisalo da se patnja Ilije Ladina ugasila u Zagrebu. Za njega, bila bi to smrt u tuđini, kao što je i Stamaćeva antologija cijela jedna tuđina, u kojoj je narodu lasno mrijeti, ali usamljeniku nikako nije.

# Boris Maruna, emigrant iz imaginarne domovine

»Mali, treba li ti novaca, reci mi istinu, nemoj me zajebavati?« — presreo me je ispred Charlieja u rano ljeto 1993. »Koliko god se selio, u svakome gradu moraš imati nekoga kome ćeš doći kada ti ponestane novaca!« — poučio me je. Iako mi nikada nije zatrebalo, vrijedilo je u Zagrebu tada imati nekoga svog. Sedamnaest godina kasnije, kada sam, otprilike, jednako sam kao i onoga dana kada sam došao, samo što je neprijatelja više, i onih koji misle da uzimam nešto što njima pripada, često mislim o tome što me je zadržalo u Zagrebu, kada sam, nakon petnaest mjeseci sarajevske opsade i desetak dana odmora od rata, shvatio da bi bilo pogrešno vratiti se. Da sam tada produžio za Kanadu, sve bi u mome životu bilo drukčije. Vjerojatno bih manje napisao, a sigurno bi sve ono što napišem drukčije izgledalo. Ne bih se vraćao, niti bih se kada kome od hrvatskih pisaca zatekao na putu, a Zagreb bi se za mene sveo na aerodrom Pleso, na kojem bih provodio po nekoliko sati, za nužnih posjeta Sarajevu. Obilazio bih rodbinu i prijatelje kojih bi, pretpostavljam, bilo više nego danas. Utažio bih lako nostalgiju za jezikom i geografijom, a zatim se vraćao nazad, da radim, mislim i interesiram se za stvari o kojima ovako nikada ništa neću doznati, jer sam u ljeto 1993. odlučio to što sam odlučio. A zapravo, ništa nisam odlučio, nego sam samo ostao predugo u Zagrebu, gdje sam, zahvaljujući novinskoj kući Miroslava Kutle, još od prije rata, od 1989, imao stalno zaposlenje.

Presudile su sitnice, strepnja pred dalekim i tuđim svijetom, presudili su ljudi koji su stvarali iluziju da tu imam nekoga svog. Nikada nisu bili brojni: vazda ih je bilo manje nego famoznih prstiju na rukama. Oni su krivi, ili zaslužni, što živim ovaj život, a ne onaj koji mi je bio tako blizu, a ipak o njemu ne znam ništa. Osim da bih bio temeljito anoniman i da bi svijet oko mene bio puno veći, da sam znao otići. Kriv je Boris Maruna, koji mi je bezobrazno frajerski, da ni njemu ni meni ne bude neugodno i da se nipošto ne osjetim dužnikom, u ljeto 1993. ispred Charlieja ponudio novac.

Za Marunu sam prvi put čuo tri godine ranije. U vrijeme kada su sa Zapada stizali bogobojazni proleteri, željni krvi i osvete za 1945, umorni ustaški zločinci i Pavelićevi diplomati, pripitomljeni starci i probisvijeti, udbaški špijuni u demodiranim odijelima, budući ministri u hrvatskim vladama, direktori telefonskih centrala, romantici i idealisti kojima će nekoliko mjeseci biti dovoljno da se razočaraju i vrate se odakle su došli, jedini je on nešto donio hrvatskoj kulturi i književnosti. Iznenađenje nije bilo u veličini i značaju njegova već dovršenog pjesničkog djela — a stupio je te 1990. u književnost ovoga jezika odmah među njezine vrhunce — nego se iznenađenje sastojalo u poetici i u intelektualnom i emocionalnom obrascu pjesama Borisa Marune. Došao nam je s Octavijom Pazom i Pablom Nerudom, sa Charlesom Bukowskim i američkom tradicijom pjesničke naracije, elegantan, sunčan i lijep, sav obuzet pulsiranjem modernoga svijeta, njegovim intelektualnim i umjetničkim preokupacijama. U njegovim su se pjesmama, kao u rijetko kojem književnome djelu, susrele i kalemile dvije Amerike, sjeverna i južna, ali kao da ih on nije obišao i naselio kao emigrant, nego kao neki bogati gazdinski sin sa stipendijama slavnih fondacija i univerziteta. Ako se u Marune i našlo domotužja, uvijek bi to bilo nekako s visine, kao da su same okolnosti njegova odsustvovanja iz zavičaja krajnje banalne i nedostojne njegove poezije. Baš kao da je u svakome gradu imao nekoga tko će se za njega pobrinuti kada mu ponestane novca za život na visokoj nozi.

Boris Maruna bio je politički emigrant. Oko njega se uglavnom samo gangalo i cvililo na hrvatske teme. Otkucavala su srca, otkucavali su pakleni strojevi koji će jednoga dalekog dana biti postavljeni u temelje Titove Jugoslavije, ali ništa osim teškoga fizičkog rada i sentimentalnih deseteraca nije ostajalo iza te istjerane i proklete Hrvatske. Ona nije imala svoga pjesnika ni kroničara, niti je njezina priča ikada bila ispričana. Iako joj je pripadao, Maruna nije mogao, a vjerojatno nije ni htio, biti njezin pjesnik. O Hrvatskoj je on u svojim pjesmama govorio s visine, kao Gombrowicz o Poljskoj, jer se, iz njegove perspektive, o Hrvatskoj drukčije i nije moglo govoriti, a da se pritom — njegovim riječima rečeno — ne zajebava poeziju.

Ali u životu, o da, itekako, znao je on biti prema njoj sentimentalan i patetičan. Naročito u devedesetima, kada se trudio povjerovati da je to oko njega zemlja zbog koje je kao dječak bježao preko granice. Ali taj trud imao je svoje granice. Tuđman ga nije mogao impresionirati, kako iz moralnih, tako ni iz estetskih razloga. I mnogo drugoga u Hrvatskoj i s Hrvatskom događalo se tada kao u najgorim predrasudama što su ih njezini neprijatelji imali o Hrvatima. Najednom se našao među lošim pjesnicima, akademicima koji bi pijani pišali u gaće, među dojučerašnjim partijskim sekretarima koji su s njime htjeli pjevati ustaške pjesme, a nikada nisu čuli za Guillerma Cabreru Infantea, pjesnika i mučenika, koji nakon što je po komunizmu protjeran s Kube, stvara svoju fikcionalnu Havanu, stvarniju od stvarnoga grada. Našao se Boris Maruna među tolikim nesolidnim ljudima, on koji je doista vjerovao da su Hrvati solidniji od svojih susjeda, samo što nisu imali sreće. Sreća da tu vjeru nikada nije povjerio poeziji, pa se njegova poezija, kako to već mora biti u velikih pjesnika, pokazala neusporedivo pametnija od njega.

Na kraju, dogodilo mu se to da shvati kako se Hrvatska iz senzacija njegovih emigrantskih sentimenta fatalno razlikuje od Hrvatske u kojoj živi. Poput Havane Cabrere Infantea, ona je daleko od svake stvarnosti. Tako je u svojim ranim šezdesetim Boris Maruna shvatio da mu je život protekao u zamišljanju povratka i u polaganom vraćanju, ali da se nije imao kamo vratiti. Imao je sreće da ga Ivica Račan pošalje za ambasadora u Santiago de Chile.

Javljao mi se telefonom svakih petnaest dana. Ne pitajući u čemu me je zatekao, bez zaustavljanja bi pričao o latinoameričkim prilikama, o ženama i o običnim ljudima, pa bi me pitao za moga prijatelja Ivana, kojega je, tko zna zašto, zvao Ivica. Našao mi je bio izdavača, »mlad, lijep i pametan, iz židovske familije«, koji bi objavio moje odabrane priče, »da vide da mi Hrvati nismo divljaci«, pa je pisao pisma mome španjolskom izdavaču, da ustupi prijevode priča, koje će zatim biti prilagođavane čileanskome španjolskom jeziku... Trajalo je to mjesecima, sve dok se Boris posljednji put nije razbolio. Čileanski izdavač me nakon toga nikada nije kontaktirao, ali katkad pomislim da je knjiga, ipak, izašla, i da ću je jednoga dana naći u Buenos Airesu, na polici prve knjižare u koju uđem. Nalikovalo bi to Borisu Maruni.

Išli smo niz Teslinu, prema restoranu Korčula. On se već jako sporo kretao, jer mu je bilo ostalo malo od pluća. »Zajebano je kada se nemaš čime zadihati!«, rekao je. Pitao sam ga piše li pjesme. »E, to još u životu nikad nisam probao!« Tada sam ga posljednji put vidio.

Ubrzo nakon izlaza iz tunela Sveti Rok, na autocesti Zagreb–Split, odmorište je Marune. S tog se mjesta, pa još malo niže, za sunčanih i burovitih dana vide nestvarno lijepi prizori stjenovitih krajolika, mora i neba. Dok ih gleda, čovjek naprosto mora pomisliti da nije stvarno to što vidi. Slučaj je htio da odmorište ponese ime po Borisovom plemenu. Samo slučaj tako mudro i tačno imenuje. Da je živ, ove bi godine navršavao sedamdesetu, Boris Maruna.

# Boris Maruna i generalov smisao za život

U ožujku 1996, nekoliko mjeseci po završetku rata, u izdanju Matice hrvatske tiskana je knjiga pjesama Borisa Marune »Bilo je lakše voljeti te iz daljine«. Bijelih korica, crno otisnutoga imena pisca i izdavača, i crvenoga, tek malo većeg naslova, tipografski iznimno jednostavno riješena, nerazrezanih stranica, otisnuta u 333 numerirana i potpisana primjerka, te u sedamnaest posebno uvezanih primjeraka, uz koje je bila priložena i grafika pjesnikova brata Pere Marune, ova knjiga danas se ne može naći u hrvatskim knjižarama ili antikvarijatima. Je li to zbog niskoga tiraža, ili je, ipak, riječ o tome da su neke knjige toliko važne svojim čitateljima da bez smrti, progonstva ili velikog jada ne mijenjaju vlasnike, tek činjenica je da ove Marunine jedine sasvim hrvatske knjige — sve druge su u dijelovima ili u cjelini pisane i objavljivane u emigraciji — više nigdje nema. Zbirku »Bilo je lakše voljeti te iz daljine«, s podnaslovom »Povratničke elegije«, priredio je, a pjesnika pomalo i nagovorio na njezino objavljivanje, Vlaho Bogišić (Hrvatskome Književnom Ološu poznatiji kao »Jergovićev šogor«).

U toj posljednjoj, zreloj fazi, Boris Maruna do kraja je pojednostavio svoj pjesnički govor, mjestimice ga učinio plakativnim, ogoljenim i oslobođenim svake lirske ceremonijalnosti. Vrativši se kući, kao da je odustao od uzvišenih metafora, ukrasa i figura, od svakoga posrednoga govora. Direktan i jasan, ispisivao je pozdrave i parole, koji su se svi dali podvesti pod naslov zbirke, a on je jedini bio čežnjiv i lirski. »Bilo je lakše voljeti te iz daljine« parola je koja, na Maruninu žalost, nije bila upućena nekoj dobrodržećoj gospoji, koja se zatim pokazala kao histerična luđakinja, nego je bila upućena Hrvatskoj.

Neke od ovih pjesama pisane su u maniri punkera i atentatora, onako kako se u hrvatskoj lirskoj tradiciji ne piše, niti će se ikad pisati, jer je pristojnost, ipak, glavno obilježje ovdašnjega pjesničkog govora. Jednoj je, recimo, naslov »Ivica Račan je imao pravo«. U njoj se pjesnički subjekt, onako barabski kaje što je u San Pedru u Kaliforniji bio »osnivač i brain power« ogranka Hrvatske demokratske zajednice, pa zadnji stih krade iz Račanova predratnog proroštva: »HDZ je stranka opasnih namjera.« Veličina ovakve poezije vrlo je klasična. Pjesnik u čitateljima nastoji izazvati jaku emocionalnu senzaciju. Klasična, međutim, nije emocija koju Maruna pokušava, i tako genijalno uspijeva, u Hrvata iznuditi. On Hrvate, naime, zajebava. Neprevodivo ih i besmrtno zajebava, i to u rano proljeće 1996, dok zemljom kruže vlakovi slobode, a naizgled ozbiljni ljudi s psećom odanošću šene pred Franjom Tuđmanom, koji se dere i izdaje zapovijedi kao kakav ostarjeli armijski kerovođa.

Ali većina je pjesama, ipak, drukčija. Recimo, ona, dok na Mirogoju nekim znancima pokazuje galeriju hrvatskih sjena, pa naiđe na mali brončani reljef, rad Joze Kljakovića, pod kojim je slikarev grob: »Što on radi u tuđoj steriliziranoj grobnici/On koji je nesumnjivo bio čovjek snage/Koji se znao smijati široko/I u neku ruku bio širok kao leđa njegovih težaka/Kog boga radi on u toj pretencioznoj rupi...« U tim portretima suvremenima, recimo u pjesmi o Marinkovićevom povratku kući, s partije šaha u Hrvatskome kulturnom klubu, Maruna se pomalo oprašta sa svijetom, koji je bio sav njegov, o kojem jedinom je cijeloga života mislio, ali u kojem zapravo nije živio. Njegova Hrvatska u ovoj je knjizi sasvim pjesnička činjenica, lirska zemlja, s kojom se on u životu naprosto mimoišao. Čeznući za njom, nikada je nije sreo. Tako obično i završava svaka čežnja za domovinom, ali su rijetki pisci i pjesnici koji o tome umiju pisati. Pogotovu, ovako. Boris Maruna vratio se iz emigracije da bi zajebavao prave Hrvate. Oni to nisu primijetili, jer ne čitaju poeziju. Ako je, pak, i čitaju, krive stvari čitaju, kao što je otpjevao jedan kojega Boris nikada nije upoznao, jer su se mimoišli na aerodromu: dok se stariji vraćao iz emigracije, mlađi je odlazio.

O jednoj pjesmi iz ove knjige mislio sam ovih dana i tjedana, kada se sva Hrvatska bez izuzetka dičila svojim militarizmom. Ne pada mi na pamet protivriječiti joj, jer »ja nisam odavle«, niti to želim biti, ali moji, da prostite, sentimenti, su skroz hrvatski. Ono što pišem nije hrvatsko, jer ništa napisano s maločas spomenutim ološem ne kanim dijeliti, ali svaki je moj proljev hrvatski. Njega ne mogu zatajiti. Evo te Marunine pjesme, naslov joj je:

Eto vam vaših junaka

Najbolje hrvatske branitelje
Mogao si sresti u vrbicima uz naše rijeke
Ili među kamenjem gdje su zaustavljali
Kugle svojim tijelima.
Nisu znali lagati.
Nisu pljačkali.

Nisu ubijali starce i djecu.
Nisu silovali djevojčice.
(Pa ni one među uglednijim gospođama
Koje bi im bile iskreno
Zahvalne.)
Nisu ništa zaradili na oružju.
Slabo su napredovali u činovima.

Jednostavno nisu imali nikakva
Smisla za život.

Mislio sam o toj Borisovoj pjesmi, gledajući onoga predratnog vodoinstalatera, haškoga mučenika, koji nakon što se na aerodromu izgrli i izljubi sa sjedokosom državnom činovnicom, uz indijanske pokliče svojih privrženika odlazi ravno u nacionalnu povijest. A ustvari »u svoj dvorac, gdje će se naći sa svojim najbližima«, kako je to naciju izvijestila novinarka hrvatske dalekovidnice, toliko se ovlaživši pritom, da su diljem Lijepe naše, u toj historijskoj večeri masovno pregorijevali digitalni televizijski prijemnici, kao da ste ih zalili bokalom vode. U tome hrvatskom generalu, predratnome vodoinstalateru, nacija je te večeri gledala hrvatskoga boga troboga, najnovije naše sveto trojstvo, koje će zatim postati dvojstvo, dok se provjereni stručnjak za hrvatske gumice u hrvatskim pipama bude odmarao u svome dvorcu, spreman pred nove bitke i izazove za dom i za vječnu nam Hrvatsku.

Ali jebe se meni, kažem, za sve to. Meni je stalo do poezije, i do svega onog što poezija može. U svojoj braniteljskoj pjesmi, bez sumnje najljepšoj, književno i ljudski najvrednijoj pjesmi o onima koji su se borili u ime vlastitoga osjećaja za pravdu, u obranu svoje kuće, svoga dvorišta, bunara i bicikla naslonjenog na ogradu, Maruna je ispričao dvije priče, koje ne mogu jedna bez druge, jer jedna drugu isključuju. Ispričao je priču o onima koji nisu lagali, nisu krali, nisu ubijali starce i djecu, silovali djevojčice, nisu se bogatili trgujući oružjem, niti su, čineći sve to, napredovali u činovima. Oni »jednostavno nisu imali nikakva smisla za život«. Druga priča, koja istovremeno mora biti izrečena, da bi se shvatila veličina, tragika i gubitništvo onih iz prve priče, priča je o takvima koji su lagali, krali, ubijali starce i djecu, silovali djevojčice, bogatili se na oružju i pritom postajali generali. »Eto vam vaših junaka«, pjesnik kaže u naslovu, a da čitatelj zapravo i ne zna na koje on junake misli. Je li nas opet zajebava, pa nam nuđa takve koji se s rodbinom nalaze po dvorcima, ili zaista pjeva o onima koji se nisu snašli u životu? Kako god, petnaest godina kasnije, ova bi se pjesma trebala otisnuti na jumbo plakate uz Dalmatinu, na putu prema jugu, tamo gdje je minula pjesnikova duša.

Na kraju, bit će da nas samo poezija može spasiti. Nas dvoje–troje, ili svih tristotrideset i troje, koji na svojim policama, u dnevnim boravcima ili u zahodima, na kolutima mekoga bijelog papira, što još uvijek miriši na hvarsku lavandu, iako će ga uskoro, kao i sve drugo, sasvim obuzeti smrad naših izmetina, čuvamo knjigu »Bilo je lakše voljeti te iz daljine«, pa iz nje svakoga jutra pročitamo pjesmu ili dvije, a u slučajevima naših hrvatskih proljeva i puno više od toga. I onda, potežući za sobom vodu, osjećajući da nam je grlo puno suza, još jednom u vječnost upućujemo pozdrav Borisu Maruni, nadajući se da nas on, ipak, nekako čuje, i da u ovoj zemlji još uvijek ima dobrih vodoinstalatera, kad već nema takvih pjesnika.

# Goran Babić, pjesnik na košavi

U knjizi Suvremeno hrvatsko pjesništvo, akademika Zvonimira Mrkonjića, u kojoj je pobrojana većina građanki i građana koji su se od 1970. do danas znali naći u takvome duševnom stanju u kojem im je pomagalo jedino bilježenje stihova, ime pjesnika Gorana Babića nalazi se samo na jednom mjestu. Na stranici broj 17, u kratkome poglavlju »Poetika progonstva«, među imenima onih nekoliko bosanskih Hrvata što ih je akademik uspio utjerati u progonstvo, našlo se i njegovo ime, u ovakvoj rečenici: »Sam sebe prognavši, Goran Babić (1944.) prepušten je pravorijeku vlastite poezije: povratku u povijest bez iluzija.« Našao se tu, premda nije Bosanac, niti Hercegovac, nego je životom svojim, iako ne rođenjem, baš onaj pravi, integralni i metropolski Hrvat, kulturni faktotum iz čije je stražnjice izvirivala dobra polovica članstva Društva književnika Hrvatske, sve dok se vremena nisu ponešto promijenila, a Goran Babić završio kao politički emigrant u Beogradu. Ne bi njega akademik spomenuo ni u toj jednoj rečenici, koja je, uostalom, semantički neprobojna, da ne kažemo besmislena, ili ne daj Bože glupava, da nije u njoj nanizao tri riječi prije prvoga zareza. U njima akademik štiti hrvatsku kulturu i politiku od tvarne objede da su bilo koga i bilo kad, odvojeno ili skupa, njih dvije prognale. Iako je Babić kriv, i njegove se krivnje za vlastito samoponiženje i beskarakternost neki hrvatski pisci često sjete, nitko, biva, njega nije progonio. Čak ako tako i jest, ako je Babić otišao sam, čovjeku se mora dići želudac od toga nečuvenog, toliko progoniteljskog, akademikovog trorječja, kojim je pjesnika likvidirao iz njegove sudbine, nakon što ga je, još puno ranije, zajedno s drugim nacionalnim antologičarima, likvidirao iz antologija hrvatske poezije. Nije, valjda, to Goran Babić učinio »sam sebe prognavši«.

U knjizi mikroeseja Gromobran na groblju, što ju je prije dvije godine objavio u banjalučkom Glasu srpskom, na samom kraju stoji tekst »Limarija i stara hartija«. U njemu Babić priča o Fedoru Lasti, bratu zagrebačkoga glumca Svena, koji je nakon rezolucije Informbiroa emigrirao u Sovjetski Savez. »Kad su se nakon više od dvadeset godina u Moskvi (gdje su gostovali glumci HNK) prvi put sreli u malom njegovom stanu, on se bratu pohvalio gomilom ordenja, limarijom okićenom po paradnom mundiru polkovnika Crvene armije. Uredno obješen u ormaru i zasut naftalinom, taj je mundir sa odličjem predstavljao sav život Feđe Laste, sve za što se decenijama zalagao i zbog čega je, uostalom, i domovinu napustio onda kad je ona (domovina) bila 'skrenula sa linije'. Ali nije tu kraj Feđine priče jer je i on, nakon nekog vremena, iz tadašnje sive i turobne Moskve ipak posjetio Svena u Zagrebu, prošetao raskošnom Ilicom, obasjan sjajem njenog svjetla. I po povratku u daleku Rusiju pohvalio brata što je u čast Feđinog dolaska onako ukrasio glavnu zagrebačku ulicu. Feđa je, naime, i ranije gledao Potemkinova sela.«

Nakon ovih rečenica, Babić posve mirno svoju sudbinu sravnjuje sa sudbinom Fedora Laste: »Daleko od Griča, jednako privrženi svojim idejama s onu stranu svake stvarnosti, Feđa Lasta i ja kod mlađih i neupućenih ljudi naprosto izazivamo podsmijeh. Mi smo komični fosili, bića zaostala iz nekog bivšeg vremena, mezozoika, pliocena...« I privodi kraju tako Goran Babić svoju nacionalnu izdaju, dostojanstven u svome tekstu, kako to znaju biti veliki pjesnici i ljudi tragičnih sudbina. Za sebe ne traži ništa, niti u svojim okolnostima nalazi išta uzvišeno. Sam i nepokajan, on stoji na mjestu do kojega smjerni akademik doprijeti ne može. Jednako ne razumije Babića, kao što ne bi razumio Fedora Lastu, jer je, za razliku od njih, s ove strane stvarnosti. Obasut počastima, lišen sposobnosti da razumije književnost i razloge za nju.

Nigdje i ni u čemu kao u književnosti ne treba imati razumijevanja za prokletnike, izdajnike, odbačenike, odmetnike. Zašto bi uopće i pisao netko tko je u miru i skladu sa sredinom u kojoj živi i kulturom kojoj pripada? I o čemu pisati ukoliko sve ide glatko, od antologije do antologije, pa sve do časa kada će se cjelokupno životno i književno djelo svesti i pretvoriti u crnu zastavu na pročelju one Strossmayerove akademije? Bez talenta za tuđu nesreću i bez gorde potrebe da se svakodnevno proizvodi svoja vlastita, jednako nema, niti će biti dobre proze, ili poezije. Jad i praznina hrvatskoga pjesništva, onakvoga kakvim ga akademik u svojoj knjižurini vidi, sastoji se u tome što ga prečesto ispisuju sretni, pristojni i društveno adekvatni ljudi, uključujući i hulje koje su, nakon što iskočiše iz Babićeve stražnjice, uskočili u Tuđmanovu, a zatim redom nastavili, sve u sonetnim katrenima i tercinama. Strvina je to, koja ne smrdi, nego miriše, ali ne na hvarsku lavandu, nego na lažni kontinentalni lavandin.

Prije nekoliko tjedana, njuškajući po beogradskim knjižarama, naišao sam na Književni list, a u njem pjesma Gorana Babića, pod naslovom Beskonačno, od samo deset stihova:

> Taj vjetar zvani košava
> nigdje tako ne udara
> ko na Lešću
>
> Kanio sam ići dalje
> u svom žiznju
> ali neću

Ovdje gdjeno završava
i Dunavo i daljina

Taj vjetar zvani košava
ne jenjava, ne jenjava

Ispod pjesme stoji datum: 10.01.2010. Goran Babić živi u Beogradu, u oskudici, u kojoj zime bivaju naročito teške. Na dvorištu cijepa drva, premeće po šupi književnu dokumentaciju što ju je dovukao iz Zagreba, a koja polako trune i nestaje. On služi doživotnu kaznu oko koje kao da se dogovorio s akademicima i logornicima hrvatske književnosti. I njima, i njemu, istina iz posve različitih razloga, stalo je do toga da Gorana Babića u Hrvatskoj više nema. Njemu je stalo jer je, po vlastitome izboru, prokletnik i izdajnik. Njima, jer bi ih podsjećao tko su, što su i odakle su stigli. Inače, Goran Babić veliki je pjesnik, što se čuje i osjeti i u ovih deset stihova, kudikamo bolji i književniji od hude svoje bratije, ili barem od većine njih. Ali koga je još za to briga.

Uostalom, zato što ih nije briga za pjesništvo, zato su pjesme Gorana Babića i prognali iz svojih antologija, a nema ih, patriotski dosljedno, ni u knjižarama ili u školskoj lektiri, pa čak ni u antikvarijatima. Zato kada akademik brani nevinost svoje kaste i politike, pa veli da je Babić, baš poput hrvatskih Srba nakon Oluje (zar ne akademiče?), prognao samoga sebe, on zalazi u mutne predjele ljudskih sudbina, ali istovremeno ne govori istinu, barem kada je o Babićevim pjesmama riječ. Nisu se valjda i one, mučenice jadne, ili četnikuše hude, također prognale same?

Nije dovoljno tek da se o njegovoj poeziji šuti. Valjalo bi hrabro izaći pred ljude, pa reći, ili napisati, da ona ništa ne vrijedi i da je zato nema u hrvatskim antologijama. Nemaju se više razloga akademik i njegovi plašiti Gorana Babića. Od njega ih štite MUP i NATO.

# Marijan Ban, brodočovjek ili svijet po Banu

Znate ono kada vas boli glava, dosadno vam je u čekaonici dok vlak kasni, na partijskom ste sastanku i slušate salve kritika na svoj račun, ili ste samo plaho mahmurni, pa vam se zavuče neka pjesma, i ponavlja vam se tako u glavi, dok god situacija traje, ili puno duže, satima, danima i tjednima. Meni se tako zimus, kad su me skolile bestidne neke uši i stjenice, javila jedna pjesma Marijana Bana, i jasno sam čuo pjevača, koji je pjevao: »Ovo nije moje vrijeme, ovo nisu moje zime, nisu ovo moje kiše, u meni su kiše tiše...« Slušao sam ga tako, naseljenog u moje misli i osjećaje, dok me je dekoncentrirao u svakome mom, istina ne prečestom, pokušaju da razmišljam o argumentima koji proizlaze iz egzistencije te čudne, egzotične gamadi, za koju sam krivo mislio da je izumrla još za masovnih deratizacija u vrijeme socijalizma. Ta je pjesma bila gotova metafora moga trenutnog stanja, ili života, općenito, tako lijepa, cijela i savršena, kakve mogu biti samo one pjesme za koje vam se čini da su starije od riječi od kojih su načinjeni njihovi stihovi. Toliko prirodno zvuči kada Marijan Ban pjeva: »Ovo nije moje vrijeme, ovo nisu moja jutra, nepoznate mračne sjene, buđenja su moja sutra...«, da se čini kako su ove riječi i stihovi nastali kad i melodija, i da u njima jednostavno nema konstrukcije, ničega umjetnog, pa ni pjesničkoga umijeća ili dara koji bi se mogao analizirati, makar da bi se pohvalio.

A onda pjesma prelazi u marš, u militantnu melankoliju jednoga životnog i ljubavnog finala: »Poljubi me, iako znam da nisam ni snažan ni mlad, poljubi me, kao nikada do sad.« Zbilja, ovoga februara, ove stjeničave veljače, nisam više bio ni snažan, ni mlad, ali blagoslov je to za nekoga kojemu se Marijan Ban uvuče u misli i osjećaje.

U svojoj biografiji na webu Marijan Ban (rođen na Dan žena 1963.) piše da je prvih deset godina živio u Kaštel Gomilici, u Jugovinilskoj broj 7, a da je raspuste provodio kod babe i dida u Slavoniji, blizu Alaginaca. Dobar raskorak u formiranju jednoga divnog autsajdera. Kasnije je bio prvak Hrvatske i reprezentativac Jugoslavije u jedrenju, što će, zapravo, odrediti njegovu poetiku i osobnu mitologiju. Pjesnički subjekt u Banovoj poeziji, najčešće, ili je brod, ili je čovjek na brodu, ili nešto između čovjeka i broda, neko prelazno, evolucijsko stanje. Godinama je imao bend, Daleku obalu, u kojem su ga, priča kaže, trpjeli i podnosili, a onda se, u jesen 2001. Daleka obala raspala, o čemu dramatično i dokumentarno svjedoči tekst u knjižici posthumno objavljenog živog albuma, koji je napisao Dražen Vrdoljak. Potom slijedi nešto što bi se u životima i karijerama antitalenata i karijerista moglo nazvati solo karijera. U Banovom slučaju to ne ide. Na njemu se vidjelo da je sam došao na svijet i da će sam otići. Prosječni su se navikavali, uklapali i rasli do benda, krda i naroda.

Prilike mu nisu bile sklone, a ni on, izgleda, nije uvijek baš pretjerano sklon vlastitome talentu, tek, malo je napisao pjesama. Da ih je bilo više, ili da je živio i da živi u nekoj umjetnosti sklonijoj kulturi, u kojoj se više čita i sluša, a pjesnike se sudi po pjesmama, a ne po životnim navikama, Marijan Ban bio bi cijenjen kao veliki hrvatski pjesnik i pjesmar, kompozitor, interpretator ili — o prazne li riječi! — kantautor. Ovako, on je samo jedna od mnogih nedovoljno opisanih lokalnih pojava, senzacija ili epifenomena, koji će se naći u žiži hrvatske javnosti samo kada se pokuša ubiti. No, to ne govori o Banu, nego o onima koji ga, na žalost svoju, ne umiju čuti.

Neke su njegove pjesme, ipak, postale ona vrsta općega, narodnog dobra, kakvom bivaju najvažniji Arsenovi i Džonijevi radovi. Tako ćemo Ruzinavi brod ili Morsku vilu čuti kao amblematske zvučne sličice našega vremena, šlagere koji to, zapravo, i nisu, iz kojih je, kao iz najmanje koščice odavno izumrlog dinosaurusa, moguće rekonstruirati čitav jedan nestali i neupamćeni svijet. Premda nije puno napisao i ne pripada niti jednoj od ovdašnjih umjetničkih ili, ne daj Bože, estradnih elita, taj svijet po Banu jedan je od najrječitijih primjera naših melodija i naracija.

No, njegova meni najdraža, a vjerujem i najbolja pjesma, je Sušac blues. Riječ je o furiozno stihovanoj priči o jednom usamljeničkom plovu i oluji: »Vjetar se diže i ruši na mene, ja njegovu namjeru znam, on želi isprobati snagu, na mene obrušava svu svoju moć, al ja sam krenuo tamo gdje želim i tamo gdje želim ću sigurno doć.« Ima u tom Banovom doživljaju nečega što svojim sinkretizmom podsjeća na rane pjesme Nikole Šopa, ali u mediteranskom, morskom ključu. Recimo, njemu je vjetar jednako živ, kao što je živ i on sam, i jednako je stvor, čiju namjeru valja znati. U tom svijetu, u kojemu su ljudi poput Šopa ili Bana zauvijek sami i mučeni, oživljavaju predmeti i prirodne pojave, u svemu je Bog, i sve je u nekom kretanju i bivanju.

Čujte njegov glas, poderan, tužan i pomalo pijan, kako u kasnu pomorsku noć pjeva iz dubine radio aparata: »Ne, ne bojim se juga, ne bojim se bure, ne bojim se neba, dubine ni dna. Podivljali valovi me uzalud jure, na krilima vjetra poletjet ću ja. Ne, ne mogu mi ništa, ne mogu mi ništa, sve prirodne sile i sav njihov bijes. Ne mogu mi ništa ni žega ni kiša, na krilima vjetra ja nastavljam ples.« I to onda zvuči otprilike jednako autentično, kao kada u našim odavno isteklim djetinjim životima, na jednoj dubrovačkoj kuli, iz Šerbedžije progovara Hamlet, kao da on Hamlet jest, a svi koji će poslije doći samo su šmiranti i imitatori. U Banovom glasu, u pjesmi koju pjeva, jedan je plov i cijeli jedan proživljeni život. Ili on, barem, tako, uvjerljivo, zvuči. No, što je umjetnost, što su pjesma ili priča izvan uvjerljivosti? Po čemu se, zapravo, ako ne po uvjerljivosti, mogu estetski samjeravati?

Ban je, kao što bje i Džoni, pjevač-deklamator. Nemoguće je imitirati taj glas, ili uvjerljivo ponoviti: »U noći kad nevera stane i nebo kad prekrije zvjezdani roj, more će vidati stečene rane i skupljat će snagu za još jedan boj. I pozvat će u pomoć vjetrove nove, i nebo će munjama parati noć, al ja sam od onih što vječito plove i tamo gdje želim, ja ću tamo i doć.« Malo što tako lijepo u poeziji uspijeva, kao kad zapjeva naivnost. Međutim, možda je upravo to ono jedino što se nikako ne može naučiti ili probuditi u sebi, ako naivnosti nemaš. U njoj je, u naivnosti, Banov dar, ali i njegovo mučeništvo.

Jednom, davno već, prije ljeto ili dva, s nekim sam ljudima, valjda kolegama s posla, čijih se lica i imena sad ne mogu sjetiti, sjedio na suncu, ispred posve prazne Brankine krčme, koja se službeno zove Luxor, a neslužbeno Pajićka. Samo je za susjednim stolom, mrk, sa crnim naočalama preko lica, sjedio krupan, sredovječan čovjek, i pio mineralnu. Ne znam kako sam do toga došao, ali ja sam nabrajao i opisivao glumce i pjevače koji umiju dobro recitirati stihove. I kako bi kojega spomenuo, tako se nepoznatom lice krivilo, kao u nekoj patnji, u probuđenom ulcus duodenumu, možda. A onda više nije mogao izdržati, nego je rekao, tužnim i pomalo uvrijeđenim glasom: »Pa zar ja nisam odlično recitirao Ne daj se Ines?« Tek tad sam prepoznao Bana. Da, rekao sam mu, i nisam spomenuo da mi smeta što je »jednu beogradsku padinu« pretvorio u »jednu velegradsku padinu«, jer u njegovom slučaju to i nije važno. Njemu je bilo drago, i činilo se kao da vjeruje da bih njegovo ime sljedeće spomenuo, da se nije ovako sam javio.

Život je prema čovjeku ponekad mamuran. Ali sve se da i sve može, samo kada se nađe neki razlog i smisao u trpljenju i u strpljenju. Kada se nađe netko da ti u glavi otpjeva pjesmu, koja će funkcionirati kao metafora.

# Toma Zdravković, dno života

Onih ranih godina, Književni susreti Cum grano salis, prva i do danas najznačajnija književna manifestacija zajedničkoga hrvatskosrpskog jezičnog područja (dakle: hrvatskoga, bosanskog, srpskog, crnogorskog i srpskohrvatskog jezika), gostila je pisce u starome, užasno oronulom hotelu Bristol. Kada sam prvi put zakoračio u to predvorje, kada sam stao pred recepciju, uz pult čiji je furnir bio izlizan stotinama tisuća ruku, koje su ga u posljednjih pedesetak godina nervozno gladile, kada sam zatim ušao u hotelsku sobu, jednako drevnu i socijalističku, osjećao sam neko žalostivo uzbuđenje, kao da sam se zatekao na poprištu historije, što je bezuvjetno iscurila, jadna i provincijalna, ali dovoljno intenzivna da bismo se u njoj ogledali kao u zrcalu, historije koja će ostati zauvijek neispisana. Recimo, tu u Bristolu je, čitao sam o tome u nekoj predratnoj reviji, krajem pedesetih započela pjevačka karijera Tome Zdravkovića, hude sirotinje, rođene u Pečenjevcu blizu Leskovca, kojoj Bog nije dao ništa, osim blagoga, a izražajnog glasa i dara za pisanje pjesama o životu.

U Bristolu je pjevao godinama, tu se zaljubio i doživio ljubavnu tragediju, kada mu je, u sarajevskoj bolnici, iznenada, umrla djevojka Slavica. Bila je iz Travnika, nije imala ni punih dvadeset. On jedva da je bio stariji. Ružnjikav mladić, golemog nosa, autsajderskoga stasa i držanja, Toma Zdravković bio je stvoren za jednoga od onih marljivih i naivnih socijalističkih pregalaca, osuđenih na životnu skromnost i anonimnost. Fantastičan maneken loše socijalističke konfekcije: kada danas gledamo njegove fotografije iz šezdesetih i sedamdesetih, one nam djeluju ikonografski upečatljivije, dakle smješnije, od slika svih drugih pjevačica i pjevača. Možda je takva njegova pojava još više isticala tu rijetku vrstu pjevačkoga talenta: sav životni udes, ljubavne slomove i socijalnu tugu jedne po svemu kafanske zvijezde (namjerno ovog puta insistiram na kafani, jer kavana sugerira neko urednije mjesto, s manje očaja), Toma Zdravković umio je suobraziti sa svojim glasom, tako da je bojom, melodičnošću i dramskim potencijalom taj glas djelovao kao sinemaskop, na čijem se platnu uvijek, što god pjevao, prikazuje jedan ljudski život i dovršena sudbina. Nimalo nije pretjerano reći kako je u svome glasu Toma imao ono što su imali Vladimir Visocki, Jacques Brel, Georges Brassens ili u kasnim danima Johnny Cash.

Hotel Bristol nije bio krajputaška kafančuga, ni pajzl na kraju grada. Finome mjestu, na koje zalazi cvijet građanstva jednoga proleterskoga, industrijskog grada, trebao je šlager pjevač, ali koji umije pjevati sevdalinke i starogradske pjesme, i koji prati što se pjeva po Francuskoj i Italiji. Nije Bristolu trebao nikakav džezist, a još manje seoski bećar i veseljak. Možda je to presudno utjecalo i na budući senzibilitet Tome Zdravkovića, njegovu neobičnu pjevačku karijeru i netipičnu diskografiju, na pjesme u kojima je, nekako prirodno, spojio šlagere šezdesetih, sevdalinku i srbijansku varošku pjesmu, francusku šansonu i vlastite kantautorske ambicije. Iz toga je, na kraju, nastala modelski najčišća kafanska pjesma, koja, na žalost, nije imala svojih nastavljača, jer ju je pregazila najezda orijentalizirane novokomponirane narodne muzike.

Toma Zdravković bio je jedno od velikih Jugotonovih otkrića s kraja šezdesetih. Tadašnji magovi iz Dubrave (teško je zamisliti, ali bilo je to vrijeme prije Siniše Škarice) namijenili su mu veliku festivalsku karijeru: na Beogradskom proleću 1969. pjevao je u alternaciji s Anom Štefok, zvali su ga na Splitski festival, a na festivalu sevdalinke na Ilidži te je godine osvojio senzacionalno drugo mjesto... Ali koliko god kao čovjek bio blage naravi, nije ga se moglo uklopiti, nego je nastavio pjevati mimo estradnih pravila i time činiti štetu svojoj karijeri. Ničega nasilnog i neprirodnog nije u tome bilo, samo što je on svojom pojavom i glasom spajao ono što je za druge bilo nespojivo: Himzu Polovinu i, recimo, Arsena Dedića ili Dragana Stojnića. Za jugoslavensku estradu svoga doba, kao i za bilo kakvu estradu, bile su to pjesme prejakog intenziteta, šansone koje su se prirodno mogle pjevati po balkanskim kafanama i koje će jednoga dana, kada Tome Zdravkovića više ne bude, obilježiti svijet balkanskih kafana, gdje god ih, po cijelome svijetu, od Požarevca do Gospića, od Frankfurta do Toronta, od Ljubljane do Pariza, bude bilo.

On je, početkom sedamdesetih, napisao i otpjevao vjerojatno najkarakterističniju, a valjda i najbolju, pjesmu balkanskih kafana »Šta će mi život«. Namijenio ju je Silvani Armenulić, tragičnoj figuri toga doba, plavuši bujnih grudi, dobroga i čistog glasa, koja će ubrzo stradati u fatalnoj prometnoj nesreći, što će ovoj pjesmi i njezinom refrenu dodati još nečega čega je ionako u njoj bilo prekoviše. Tragika jednoga vremena jednako zna biti sadržana u velikom romanu ili, prije dvije tisuće godina, u antičkoj drami, kao i u nekome popularnom songu. Uostalom, nije li Bertolt Brecht upravo s tom mišlju pisao songove? Osim što se Silvanina i Tomina interpretacija razlikuju u rodu (Šta će mi život bez tebe draga/dragi), važnija razlika je u glasu i u intonaciji. Vedrim, skoro optimističnim, kafanskim sopranom, Silvana je najavljivala vlastiti nestanak i uzašašće, dok je on pjevao mirnom, utišanom šansonijerskom manirom, kao da se nesreća prethodno već dogodila.

»Prokleta je ova nedelja« ili »Dotako sam dno života« bile su valjda i najpoznatije njegove pjesme iz dugoga autobiografskog ciklusa, koji bi, povremeno, narušavale, namjenske ljubavne pjesme, obično s nekim ženskim imenom u naslovu. Nastupao je mnogo i često, ne trudeći se da stvara iluziju o svome zvjezdanom statusu. Jedini put kada sam ga, i to slučajno, gledao na koncertu, nastupio je u sali za vjenčanja zeničkoga hotela Metalurg, jedne ledene zimske noći, sedamdesetih, dok su magla i željezarski smog gušili grad. Bio sam dječak, nisam volio takvu muziku, neću je voljeti sve dok se zemlja u kojoj je svirana i pjevana ne uruši i ne nestane, ali me fascinirala lakoća s kojom je Toma Zdravković pjevao. Drugima bi poiskakale žile na vratu, dobro bi se preznojili, pucali bi im glasovi, svejedno jesu li pjevali zabavnjake ili narodnjake, ili su bili Smak i Bijelo dugme, a on je pjevao tako da se i ne umori. Sjećam se, imao je na sebi nekakav smiješni sako s velikim reverima i rešetkastim dezenom. Ljudi koji su sjedili za hotelskim stolovima, jeli, pili i slušali ga, imali su tužne izraze lica, i nisu pokušavali pjevati skupa s njim.

Bolovao je dugo, i umro 30. rujna 1991, u Beogradu. Vijest o tome objavile su sve novine u zaraćenoj zemlji, pa i one zagrebačke. Iako se Jugoslavija već bila raspala, samo što je raspad valjalo zacementirati sa što više prolivene krvi, još uvijek se smatrala važnom smrt jednoga pjevača. Dvadeset godina kasnije, kada su njegove pjesme na repertoaru svih hrvatskih kafanskih orkestara — naravno, čim dežurnih domoljuba nema u blizini — Toma Zdravković više nije netko koga bi se u Zagrebu bilo pristojno sjećati. Ili bi, možda, bilo prikladno reći da je Toma bio nekakav narodnjak, a kako čitamo na patriotskom bilbordu, u središtu metropole, preko puta Muzeja za suvremenu umjetnost, tu se narodnjaci ne emitiraju čak ni na radiju koji se zove Narodni.

Toma Zdravković o svoje se slušatelje u ona prljava vremena ničim nije ogriješio, premda je imao jasne političke stavove. Napisao je i pjesmu, koju nikada nije snimio, pod naslovom »Ej, Stari, Stari«. A u jednom intervjuu je, u najnezgodnije doba za te stvari, pripovijedao kako je 1981. imao koncert na Kosovu, čini mi se u Peći, i da je tamo došao pun predrasuda. Dočekala ga je puna dvorana, ljudi su pjevali s njim, i patili su s njim, a on je, kaže, razmišljao: pa nije moguće da su sve ovo Srbi. Poslije su došli neki mladići da traže autograme i da se slikaju s njim. Toma tad nije izdržao, nego ih je upitao znaju li, je li na koncertu, možda, bilo i Albanaca. Jedan se mladić nasmijao, pa okružio rukom i rekao: Svi smo mi Albanci! Bilo je to, čini mi se, one ružne 1989, u vrijeme kada je Milošević držao govor na Gazimestanu, i kada su rudari Trepče odlučili da ne izlaze iz jame, sve dok im se ne prizna pravo da budu ljudi. Tiho i diskretno, u nekoj smiješnoj reviji s televizijskim programom u sredini, Toma Zdravković pokušao je ljudima objasniti što su to predrasude i kako se uz predrasude ljudski živi i umire.

# Goran Bare, na prozorima raja

Skoro će nova 1991, u modroj volkswagenovoj bubi vozim se pokraj Zavidovića, prema Maglaju, svud okolo je garav snijeg, a iz raspuknutih zvučnika čuje se mahniti glas Hali Gali Halida: »Hajde da se drogiramo, nek se oči sjaje...« Nekoliko kilometara kasnije, kazetofon će sažvakati i progutati vrpcu demo kazete, koju sam mjesecima slušao u autu, tako da ću se do Sarajeva voziti loveći jednu za drugom, lokalne radio stanice, Zenica, Kakanj, Ilijaš, da bi me, na ulazu u grad, voditelj centralnoga večernjeg dnevnika, mene i sve koji ga slušaju, izvijestio da situacija u zemlji nije dobra. Hali Gali Halida, spletom okolnosti, više nikada neću čuti, ali njegovo tužno orijentalno zavijanje, na tragu Sinana Sakića i orkestra Južni vetar, u vrisku harmonike i praštavom raspadanju električnih gitara, ostat će za mene soundtrack jedne ružne jeseni i zime, koju sam, uglavnom, provodio očekujući da sve bude još puno gore. Hali Gali Halid bio je jednokratna studijska parodija underground careva novokomponovane narodne muzike, onoga iz čega će se uskoro, s početkom rata, roditi turbo folk, ali u toj je parodiji bilo nečega ozbiljnog, strašnog i uvjerljivog, kao da se iz tog glasa čuo neki demon kolektivnoga očaja. I drugi su u to vrijeme, iz različitih razloga, s manje ili više pjevačkoga ili imitatorskog dara, persiflirali narodnjake, ali nitko to nije činio kao Goran Bare. On je pjevao kao da je izronio iz onoga smrznutog blata i snijega, uz cestu pokraj Zavidovića.

Dvadeset i jednu godinu kasnije, jesen je 2011, u boljem sam i tišem autu, napredovala je audio oprema, vozim se po Zagrebu i slušam »Teške boje«. Kad se ovako na stvari gleda, učini se da sam u međuvremenu napredovao. Opet je teška i mučna jesen, u zemlji koja se u međuvremenu nešto skupila i smanjila, opet će izbori, samo što kao da se političari plaše vlastitih lica, pa su na plakatima uz cestu samo stranački simboli i neke nerazumljive, loše urimovane i teško pamtljive parole. Baretov glas u međuvremenu je dodatno potamnio, ništa ne parodira, nego pjeva ozbiljne pjesme. Ali od godina, ili od posljedica kojekakvih životnih okolnosti, riječi teško artikulira, zapliće jezikom i jedva ga se razumije, ali pjeva bolje no ikad. Uništen i rasturen, nalik drvenom Isusu Kristu s mahmurnih zagorskih raskrsnica u dane martinja, lijep i prolazan, kao da ga odavno već nema, crn, s očima koje zure u fotografski objektiv kao dva mračna bunara, taj hrvatski narko šik maneken, u posuđenoj bijeloj košulji i odijelu za slikanje, uz veliki intervju u uglednim političko-pornografskim tjednicima, pjeva tako uvjerljivo da se ježim i nakon što dvadeseti put preslušavam album. Odavno već ne slušam tu muziku, ne razumijem ja tu mladež koja danas svira ono što se sviralo 1971. ili 1977, ne shvaćam sav taj dezangažirani punk, nisu mi dragi ti klinci koji su dizajnirani kao da umiru od heroina, a zapravo ne piju, ne puše, ne jedu meso i nisu u životu vidjeli džoint. Svega je toga meni već odavno previše, i sve te vaše nove američke i engleske bendove doživljavam na način na koji sam 1991, putujući od Zavidovića prema Maglaju, doživljavao guslare sa Romanije. Ali »Teške boje« su nešto drugo. One zvuče uvjerljivo kao da netko prvi put svira tu muziku. To nije neka adolescentska, justinbieberovska, retardirajuća, interšparovska imitacija nečijih pjesama ili nekoga vremena, to je, doista, kao da u Detroitu, recimo 1968, u vrijeme velikih sranja u Vijetnamu, čujete MC5: »Kick out the Jams, brothers and sisters!« »Teške boje« su muzika po kojoj ćemo se sjećati ove jeseni i zime (koristim prvo lice množine samo zato što s njim ova rečenica bolje zvuči, premda sumnjam da je ovo mi puno brojnije od moga ja...), mutnoga, teškog i lažljivog vremena, u kojem vlasnici bogataških restorana cinkare svoje goste policiji, a policija cinkari uhićenike novinama, dok suci dijele pravdu poput mrtvih egipatskih faraona.

Rock'n'roll, kao ni popularna muzika, općenito, nikada nisu imali do kraja izvedene i jasne estetske kriterije. Sve se događalo u trenutku kada bi album bio prvi put odsviran, ili kada bi ga publika prvi put čula. Tada bi nešto upalilo, ili ne bi upalilo. Između ostaloga, ono što bi upalilo, bivalo je najbliže duhu, zvuku, mirisu ili atmosferi nekoga vremena. Tako, kada u veličanstvenoj naslovnoj pjesmi Bare pjeva o srcu koje teško pušta suzu, nego »pumpa sa smiješkom«, i pjeva kako on ne svijetli, nego sijeva, slušatelj, kao nekad, kao u vrijeme ranih albuma Azre i pjesama kakva je bila »Poljska u mome srcu«, ima osjećaj da prisustvuje nečemu što postoji samo za ovaj trenutak, i što je nevidljiv netko napisao da bi u pjesmu sabio neki zajednički osjećaj. To je, valjda, ono što, u načelu, razlikuje takozvanu visoku umjetnost, velike romane ili istinsku poeziju, od djela popularne kulture, jer visoka umjetnost niti operira kolektivnim osjećajima, niti može poslužiti kao soundtrack ili pozadinska pripovijest nekoga vremena (premda, ima slučajeva koji i to demantiraju: Šostakovičeva Sedma simfonija, u njoj i danas možemo čuti uzdahe tisuća Lenjingrađana, ili Amerikanaca, koji su je odmah, zahvaljujući brzoj pošti, mogli čuti).

»Reci mi Bože/Koje si boje kože/Bože, daj kaži/To o tebi, da l' su laži/Ti znaš sve, tako bar govore/Mora da je super gore/Kada se prozori raja otvore.« Tako završava pjesma, koja se, kao ni bilo koja druga stvarno velika rock pjesma ne može ni svesti na tekst, ni do kraja opisati, i koju, kao ni bilo koju drugu stvarno veliku pjesmu, ne može tako otpjevati nitko osim onoga koji ju je otpjevao. U tom hripanju i vrisku električnih gitara, u teškoj, usporavanoj grmljavini bubnjeva, nešto je himnično, što će »Teške boje« izdvojiti od ostatka, inače izvrsnog, albuma. Tekst je, što je za Bareta netipično, sav u slikama, u gotovo lirskim opisima, a ne, kao obično, i kao u ostalim pjesmama na albumu, u autoterapeutskom dijagnosticiranju vlastitih unutrašnjih stanja i osjećaja, bez volje i potrebe da se pokuša pjesmu učiniti lijepom ili pjesnički tačnom. »Teške boje« su baš lijepe.

U ono doba, kada su se krajem osamdesetih pojavile, ili kada su odnekud stigle prve njihove demo kazete, vinkovačke Majke su u jugoslavenskome rock tisku najavljivane kao odgovor na Partibrejkerse. To je, valjda, bio razlog što ih tada, a ni godinama kasnije, nisam pretjerano volio (Hali Gali Halid bio je izuzetak, a to i nisu bile Majke, nego Bare). Usporedba je, naime, bila neumjesna, nisu oni bili vinkovački Partibrejkersi, ama ni nalik. Prije je taj bend podsjećao na srednjebosanske hard rock retardante, munjevite na gitari, teške i slabe na riječima, koji su dolazili uglavnom iz Doboja, ili iz obližnjih kasaba u brdima, između kojih, kao i svugdje, sunce svakodnevno zalazi, ali samo jednom sedmično svanjiva, i gdje je povijest jednom stala kada su se pojavili Black Sabath, a nastavit će se tek onda kada u Bosni počne rat. Koliko god me uvjeravali da ne čujem dobro, ja u sviranju Majki tad nisam čuo ništa drugo. Sjećam se, bio sam na jednome njihovom koncertu, u CDA Mladost, bivšoj fiskulturnoj dvorani Osnovne škole Miljenko Cvitković, i vidio sam kako si Goran Bare razbija pivsku bocu o glavu. Boca je bila prava.

Ovo pričam ne da bih tvrdio kako se u međuvremenu Bare promijenio, ili kako je vrijeme onog majčinstva odavno prošlo.

Prije će biti da je sve ostalo isto, samo mi smo drugi, i drukčija su događanja oko nas, manje sve vonja na barut i kolomast tenkovskih gusjenica, ali jednako je očajno i depresivno. Naše su se generacije, većinom, razišle na sve strane, neki su poumirali, neki izginuli, iz nekih je niknuo ološ, od nekih su ostala još samo govna, a on i dalje pjeva, i to radi na takav način da mu već odavno ne trebaju flaše, da ih razbija o glavu. Sam je po sebi čudo, razbijen i ponovo sastavljen, tisuću hiljada puta. Jednom sam ga, u kasno doba noći, vidio kako sjedi na terasi onih kafića iza utrinske tržnice. Pogašena sva svjetla, nigdje nikoga nema, samo metalni stolovi i stolice, i on, razgovara sam, u mraku. Takav je i na ovom albumu. Kada pjeva, povjeruješ da prozori raja postoje.

# Dragan Kaluđerović, okrutnost trešanja u cvatu

Otkako sam se u davnim devedesetim počeo služiti internetom, svakih nekoliko mjeseci u pretraživač upišem »dragan.kaludjerovic.pjesnik«, ali u nizu dokumenata o raznim Draganima, Kaluđerovićima i ponekom pjesniku, nikada ne bude njega. Rođen 1951. u Zemunu, djetinjstvo proveo u Miloševcu kod Velike Plane, kao trinaestogodišnjak došao u Sarajevo, studirao teatrologiju, pisao književne i kazališne kritike po omladinskom tisku i književnim časopisima, 1977. objavio knjigu pjesama Zvonki čovek, a zatim, kao u onom stihu srpskoga pjesnika i boema Sime Pandurovića, sišao s uma u sjajan dan. Ja se Kaluđerovića ne sjećam, jer kada je moj naraštaj stasao do književnosti, pa kada smo kao publika krenuli pohoditi književne večeri, Sarajevske dane poezije i Festival malih i eksperimentalnih scena, on je već trajno boravio s druge strane svijesti, po psihijatrijskim klinikama i sanatorijima, u čemu je u to vrijeme, pogotovo kada je o pjesnicima riječ, još bilo neke romantike. Išao sam u prvi razred gimnazije kada sam u biblioteci pronašao, posudio, a na kraju i ukrao, Zvonkog čoveka.

Književni ukusi se s odrastanjem mijenjaju, napuštaju nas zauvijek knjige koje smo jednom voljeli, nestaje poezije u tekstu, umiru u nama romani i novele, jer ih više ne razumijemo, ili više nema onoga dječaka koji ih je nekada volio, a najrjeđi su oni književni tekstovi koji zauvijek ostanu, da nas prate kroz život kao najtačnija autobiografija i precizan estetski kardiogram. Takvom je meni ostala pjesma Dragana Kaluđerovića Asizi.

spoznali smo okrutnost trešanja u cvatu
i pošli smo na vrh brda
odakle se vidi zvonik u dolini
iznad crte snega i lovora nad kojim
Aurora rasipa škrtu vatru
nismo mnogo pričali išli smo zagrljeni
kao utopljenici čija krv nosi u sebi
i poljupce i zvezde i bliske obale
onda smo sišli do gostionice u dolini
seli u uglu i pili čaj ti sa limunom
ja sa rumom i ti si izdržala moj pogled
i ja sam izdržao tvoj pogled
ne život se stiče u poljupcu koji nas
ne razume u koncentričnom krugu
godišnjih doba izmirenih sa lišćem
i kostima kroz koje se kao kroz dogled
zviždi u dječjim igrama
Šefsberi u mantilu priča o komadu
u kom Vrlina i Porok
izjednačeni teraju na izbor akustične ljude
a ja znam a ja znam da Šefsberi i ja
i ti sa povijenim ramenima tu u uglu
predstavljamo jednu malu sklupčanu smrt

Kada sam u kasno proljeće 1996. putovao u Assisi (ili Asiz, kako su govorili i pisali stari bosanski fratri), na književne susrete s temom interkulturalnosti i razumijevanja, moja predodžba o tom mjestu ipak se nije ticala Kaluđerovićeve pjesme. Bit će da mi nije ni na um pala, sve dok na obroncima brda, na čijem se vrhu nalazi čudesni Franjin gradić, nisam ugledao desetak kao za mene rascvalih krošanja, usred kojih je zujalo sve Božje pčelstvo ovoga svijeta. Ne znam je li Dragan Kaluđerović ikada bio u Asizu, mislim da nije, i ne znam je li mu, možda, netko pričao o trešnjama u cvatu na obroncima grada, mislim da nije, jer je prvi, veličanstveni, stih njegove pjesme: »spoznali smo okrutnost trešanja u cvatu«, koji je, ujedno, jedna od mojih najčešćih i najupečatljivijih primisli, melodija koje mi svako malo izbiju, i od kojih je — barem ritmički — načinjeno i puno onoga što pišem, taj je stih kristal jezika i poezije same, svikakvi nastaju izvan i mimo stvarnosti ili fotografske slike svijeta. Nije Kaluđerović vidio cvat asiških trešanja, pa od njih načinio stih, nego je dragi Bog — kojeg u Asizu ima čak i kada ga drugdje nije — od Kaluđerovićeve pjesme načinio obeharana stabla ispod Franjinog grada.

I u pjesmi Asizi se to osjeti, bio je on pjesnik dva velika i snažna uzora. Prvi, kojega je često i citirao, parafrazirao, ili od njega preuzimao pjesničke zamisli, pa i cijele stihove, koje bi zatim premetao po vlastitome osjećaju, je Thomas Stearns Eliot. Kaluđerovićeva poezija često se doimala kao dnevnik čitanja Puste zemlje i drugih Eliotovih tekstova, pa umjesto da stvara svoju, lokalnu mitologiju i toponimiju, posuđivao je i na kraju sasvim adoptirao njegovu. Nije nesretni Dragan bio pjesnik Sarajeva niti Bosne, nego pjesnik Puste zemlje. U drugim slučajevima ne bi to bio simpatičan postupak, kao što, općenito, nisu mili oni balkanski pjesnici koji zlorabe ovaj jezik, pa pišu kao da ih je Vuk Karadžić nasadio na Kavafijevu Grčku, Poundove Cantose ili — u posve retardiranom izvodu — na Divlji zapad i Hollywood, ali je za Kaluđerovića Eliotov svijet bio prirodno okruženje i jedina stvarna pjesnička i egzistencijalna domovina.

Drugi veliki uzor, tragični pjesnički subrat, bio mu je Branko Miljković, čiji se utjecaji u Asiziju, možda, i najjasnije čuju.

U njegovoj lirskoj filozofičnosti, u patetici jednoga poetski i književno veličanstvenog i ceremonijalno-sentimentalnog vremena, pri čijem se kraju i sam pojavio kao pjesnik, Dragan Kaluđerović pretapao je svoje eliotovske slike, i u tom je znao biti moćniji i od samog uzora. Finale Asizija, kada se njih dvoje, i Šefsberi »u mantilu«, svedu na »jednu malu sklupčanu smrt«, od onih je pjesničkih trenutaka kada nam se na čas učini da smo došlo do kraja poezije, i do srži svoga bića i bića jezika, i da je to sad zauvijek to.

Da bi se takvo što postiglo, valja imati dara za obično. Sentimentalna scena usred pjesme, gdje je ona pila čaj s limunom, a on s rumom, »i ti si izdržala moj pogled, i ja sam izdržao tvoj pogled«, mjesto je suštinskoga prepoznavanja. U toj dječjoj, adolescentskoj ljubavnoj igri pogleda, odigranoj, vjerojatno, negdje na padinama Trebevića, a ne pod Asizijem, zametak je onoga što će se dogoditi u istoj rečenici, nakon samo desetak stihova: »jedna mala sklupčana smrt«, stupor i nestanak.

Dragan Kaluđerović objavio je pedesetak pjesama. Zahvaljujući pjesniku Hamdiji Demiroviću, u izdanju sarajevskog Zadrugara (izdavača specijaliziranog za poljoprivredne i stočarske priručnike, a koji je jedno vrijeme, opet zahvaljujući urednikovanju Željka Gakovića, objavljivao i najprobranije, apartne književne tekstove), objavljena je 1990. knjiga Pesme, u kojoj je, zapravo, sabrano Kaluđerovićevo životno djelo. Kada se, malo nakon toga, zemlja raspala, a Bosna i Hercegovina do besmisla nacionalno diferencirala, neki su pisci, uglavnom pokojni, izgubili svoj kontekst, jer iz različitih razloga nisu više nikome bili potrebni. Vrijeme je iskočilo iz zgloba, a oni su ispali iz svih književnih povijesti. Tako ni Dragan Kaluđerović više nikome ne treba, nikome ne pripada, nitko ga se ne sjeća, niti ga itko spominje. Njegova je domovina eliotovska pusta zemlja, a kako pjesništvo — barem u nas, barem danas — funkcionira kao prilično proizvoljna duhovna disciplina, bez inherentnih kriterija i argumenata vlastite važnosti, pjesnik kojeg nema, ili koji nema zemaljsku domovinu, a napisao je tek nekoliko veličanstvenih stihova, ne bi imao od čega da postoji čak ni da nije ostao s one strane ovoga, navodno razumnog svijeta.

Ali možda mi je zbog toga Asizi još bliži i važniji, kao pjesma koja je utisnuta u mene i na koju se, u značajnoj mjeri, poziva moj čitateljski ukus, a s njime i ponešto od načina na koji pišem. To je važno, meni je važno da nečega sutra bude kada u pretraživač upišem: »dragan.kaludjerovic.pjesnik«.

# Czesław Miłosz, proklete svetinje moga naroda

Ovako Adam Zagajewski govori o Czesławu Miłoszu u tekstu »Čitajući Miloša« (srpski prijevod Biserke Rajčić): »Ponovo čitam Vaše stihove, koje je napisao bogataš koji je sve razumeo, i siromah kome je oduzet dom, emigrant i usamljenik. Vi uvek želite da kažete više nego što se može — iznad poezije, nagore, ka visinama, ali i nadole, tamo gde počinje naš prostor, ponizno i stidljivo. Ponekad govorite tonom da čitalac — uistinu — za časak veruje da je svaki dan praznik i da poezija, kako to izraziti, čini život zaokruženijim, ispunjenijim, ponosnijim, ne stideći se savršene formule. Tek uveče, kada odlažem knjigu, vraća se uobičajeni žamor grada — neko kašlje, neko plače, a neko proklinje.«

Ovu pjesmu, jer riječ je o pjesmi — ako niste osjetili — pretvorio sam u prozni tekst, stihove rasuo u rečenice, da bismo se na čas oslobodili prozodijskih obrazaca, ljepote stiha i ritma, pjevnosti riječi... Ono važno što se u ovoj pjesmi pjeva, uz poštovanje kakvo veliki pjesnik — a Zagajewski je zaista veliki — sasvim iznimno priređuje drugome velikom pjesniku, jest zapravo sasvim prozno. Zagajewski, naime, u dvadesetak stihova i nešto više od stotinu riječi uspijeva opričati i Miloszevu biografiju, i vlastitu čitateljsku fascinaciju njegovim pjesmama, raznolikost njihovu i ukupnost, koja u čovjeku stvara dojam kako čita evanđelja, posvećena njemu osobno, i njegovome stoljeću. Ali ono što je u toj pjesmopriči nekako najupečatljivije, jer je i najtačnije, jest opis Czesława Miłosza kao bogataša koji je sve razumio, a istovremeno siromaha kojem je oduzet dom, emigranta i usamljenika.

U danima i tjednima kada religijske ustanove, podređene onoj vrhovnoj u Rimu, zajedno sa skrušenim stadom onih koji se ništa ne pitaju i ni u što ne sumnjaju, slave blaženstvo jednoga Poljaka, uz kovčeg i truplo u kojem je ovaj nekad stanovao, navršava se stoljeće od rođenja drugoga Poljaka, koji nipošto nije blažen — premda je bio predan vjernik u istoj ustanovi, a Bogu je posvetio neke od svojih ljepših pjesama — Poljaka iza kojeg ne stoji nijedna ustanova na svijetu, ali je kulturi svoje zemlje, njezinome jeziku, svjetskoj književnosti, postkomunističkome svijetu, idealu čovjekove slobode, dostojanstvu misli i dostojanstvu osobe koja misli slobodno, neusporedivo značajniji od onoga prvog, blaženog Poljaka. Iza Ivana Pavla Drugog stajala je, i stoji, svjetska politika, najjače zemaljske vojske, tenkovi i bombarderi, a iza Miłosza je stajala, i stajat će, dok god je poezije i slobode, samo sumnja i memorija onih koje je Miłoszeva riječ oslobađala. To je mnogo više. Kako za ljude, tako i za Boga.

Czesław Miłosz rođen je u selu koje se tada zvalo Szetejnie, a danas se zove Šeteniai, blizu Kovna, koji se danas zove Kaunas. U pokrajini izrazito izmiješanoj, gdje su se miješali razni jezici, vjere i kulture, a s njima i razne i raznorodne mržnje i prepoznavanja, u svijetu pograničja, koje će uskoro nestati i pretvoriti se u stotine hiljada i u milijune grobova, dok će svi oni koji prežive biti prognanici, čak i ako kojim slučajem ostanu na svome kućnom pragu, Miłosz je odrastao istovremeno kao čisti Poljak i kao potpuni mješanac. Kasnije je njegova životna misao, prisutna u svakoj proznoj i esejističkoj knjizi — kakve je pisao, uglavnom, zato da bi sebi i drugima objasnio tko je i što je — bila u vječnom prihvaćanju, nasuprot svakoga odricanja ili odbacivanja. Protiv komunizma nije se borio gnjevnim odricanjem, proklinjanjem i prijetnjama. Pripovijedao je o ljudskoj prirodi, o ljudskim slabostima i nesavršenostima, koje ideju o ravnopravnosti i jednakosti svih ljudi na zemlji vode i pretvaraju u totalitarizam, u strah i gubitak dostojanstva. Objašnjavao je značenje pojma ketman, koji je uveo u jezik naše civilizacije, premda ne i u — to danas osjećamo — naše djelatno povijesno iskustvo. Tumačeći praksu komunizma, Miłosz ju je runio i nagrizao, uvjeren da se svaka kolektivna nesloboda može nadvladati samo društvom mnoštva osobnih sloboda. Govoreći o ljudskoj nesavršenosti, on je govorio o sebi. Nije zamišljao interkontinentalne rakete koje lete prema Moskvi, niti je snivao pobjedu — antikomunizma. Na dan kada je njegov zemljak u Rimu proglašavan blaženikom, te su rakete, ciljano, u Tripoliju ubile troje male djece i njihovoga nedužnog oca. Czesław Miłosz borbu protiv komunizma nije zamišljao kao križarski rat. I u tome se razlikovao od Ivana Pavla Drugog. Zato pjesnikove odgovornosti nema u smrti djece u Tripoliju.

Ali pustimo na čas i komuniste i nove križare. Miłosz je, ipak, bio samo usamljenik, izgnanik i pjesnik. Listajući ovih dana, nasumce i po tko zna koji put, ono što sam čitao za lijepih i ružnih dana svoga života, u različitim prijevodima i desetinama prijeratnih, ratnih i poratnih izdanja, naišao sam na pjesmu »U Varšavi« (prijevod Zdravka Malića), i u njoj na stihove: »Kleo si se da nikada biti nećeš/Žalobna narikača./ Kleo si se da nikada nećeš taknuti/Velike rane svoga naroda,/ Da ih ne pretvoriš u svetinju,/Prokletu svetinju što progoni/ Potomke stoljećima zatim.«

O prokletim svetinjama moga naroda, i još nekoliko drugih naroda koje smatram svojim, mogao bih govoriti i pisati do kraja života. Nikome od toga ne bi bilo koristi, niti bi ikakva bilo učinka, osim što bih skončao kao mučenik, u kakvome jarku, ustrijeljen ili popljuvan, u ludnici ili ubožnici, jer moj narod, malen i beznačajan kakav jest, prokletih svetinja ima više, otvorenih rana, masovnih grobnica, ubijenih gradova, opustošenih srca, nego što ih ima cijela Poljska, u njezinim današnjim i u njezinim nekadašnjim granicama. Samo što, za razliku od Poljske, ova zemljica nije imala pjesnika koji bi stao nad nekom svojom spaljenom Varšavom i koji bi prezreo tu prokletu svetinju, da ne bi potomke stoljećima progonila. Današnja Hrvatska, na žalost, itekako je zemlja po mjeri blaženstva Ivana Pavla Drugog. Miłosza bismo spalili, kada bismo ga slučajno razumjeli. Ili kada bismo čitali išta osim crkvenih molitvenika i policijskih priopćenja.

U drugoj pjesmi, opet u Malićevom prijevodu, »Nikada od tebe grade«, Miłosz pjeva o mitskome gradu svoje mladosti, o Vilnu (današnjem Vilniusu): »Nikada od tebe, grade, nisam mogao otići./Duga je bila milja, ali me vraćalo kao figuru u šahu./Bježao sam zemljom vrteći se sve brže/A uvijek bijah tamo...«

Svoju čežnju i neprebol, on je uzgajao. Ni njih se nije odricao. Tamo odakle je potekao, nikada se nije vratio, ni u Vilno, ni u Kovno, a ni u Varšavu. Došao je 1990. u Krakov, i u tom gradu, sve do umirovljenja, provodio po pola godine, a zatim se stalno nastanio tu. Jesenas sam stajao ispred zgrade u kojoj je stanovao, fotografirao mjedenu ploču koja o tome svjedoči, i potom dugo šetao okolnim ulicama, nadajući se da ću ugledati neku sliku, prizor, zavjesu iza osvijetljenog prozora, lice kuhara u grčkome restoranu, granu jorgovanova stabla; bilo šta što je gledao i Miłosz.

Naša podrijetla nisu ništa složenija nego u drugih ljudi. Mi ih samo nismo željeli pojednostavljivati, nego smo se borili i insistirali smo na svemu onome, i na svakoj najsitnijoj i lakozaboravljivoj sitnici koja nas čini različitim od ostalih. Nije nam, pritom, bila važna različitost, nego baš ta sitnica. Onaj drugi u svakome od nas, bez kojega ne bismo bili ovo što jesmo. Zato ga se nismo odricali. Tome smo se učili čitajući Czeslawa Miłosza. Ustvari, ne, znali smo to i bez njega, ali u njegovim smo tekstovima nalazili nekoga tko brani dostojanstvo našega izbora. Bez Miłosza bili bismo bjedniji. Mržnja jednostavnih bi nas tjerala da pojednostavimo svoja podrijetla.

Krakovski prijatelj, zabrinut da ne bih idealizirao Poljsku (ne vidi da se samo igram), kaže mi da u zemlji postoji otpor prema ideji da se Miłoszeva godišnjica uzdigne na razinu državnoga događaja. Bune se, kaže mi, oni koji sumnjaju u njegovu poljskost... Svugdje ima Hrvata, šalim se, čak i kada su Poljaci. I tako smo se jesenas smijali u Krakovu, za dušu Czeslawa Miłosza.

# Edvard Kocbek, kršćanin, disident i partizan

Posljednji doušnički izvještaj za ogromni dosje Edvarda Kocbeka dostavljen je ljubljanskome centru Službe državne sigurnosti 3. studenog 1981. u 20 sati i 35 minuta. U njemu piše da je »suradnica« Zala izvijestila kako je u 20 sati i 25 minuta umro Bohinjski. Pod tim je imenom Kocbek uhođen, a Zala je, vjerojatno, bila medicinska sestra ili liječnica. U bolnici je ležao dugo, već odavno sišavši s uma, vjerojatno usljed alzhajmerove bolesti. Bez obzira na to što ga već dugo u tom tijelu nije bilo, pozorno su ga pratili. Nijednoga jugoslavenskog pjesnika ni pisca Služba nije tako dugo uhodila kao Kocbeka (vjerojatno punih trideset godina), nijednoga se nije toliko plašila kao njega, koji se opsesivno bavio fenomenom čovjekova straha.

Osim što je, silom prilika, veliki dio života proživio u svojevrsnoj izolaciji, kao književni i intelektualni osamljenik i izopćenik, Edvard Kocbek jedinstvena je pojava među slovenskim kršćanskim intelektualcima. Za hrvatske prilike, on ne samo da je s bilo kim neusporediv, nego je i savršeno nerazumljiv. Na književnoj večeri, što ju je održao u vrijeme svoje najteže društvene izolacije, skoro da mu nije bilo dopušteno da išta objavi pod vlastitim imenom, Kocbek je u Kulturnome domu u Trstu rekao: »Budem li ikad napisao autobiografiju, podijelit ću je na dva dijela. Prvi će nositi naslov 'Adame, gdje si?', a drugi 'Tu sam!' Mislim da me razumijete; do partizanstva je bilo pitanje, dalje je odgovor.« Bez obzira na osobno mučeništvo i društveno proklamirani ateizam, za Kocbeka je, i dvadeset godina nakon kraja rata, partizanstvo bilo jedini moralno ispravan izbor.

Još ranije, kao borbeni i mladi kršćanski socijalist, izazvao je buru i pomutnju kada je upozorio da se u Španjolskoj treba suprotstaviti Franciscu Francu, jer falangisti vode u fašizam. Svojim moralnim refleksom između fašista i onih koji su rušili crkve i ubijali svećenike, izabrao je antifašiste. Bio je to izbor na kojemu će 1945. biti zasnovana poslijeratna Europa. No, Kocbek nije bio političar, premda je još kao partizan imao političkih ambicija, nego je bio vizionar i prorok, koji je svojim formatom nadrastao slovensku kulturu, Jugoslaviju, ali i vlastiti katolički i crkveni kontekst. Moralno i estetski striktan, istovremeno blag i gospodstven, on s Ivom Andrićem, Miroslavom Krležom, Mešom Selimovićem, Milošem Crnjanskim i Danilom Kišom čini vrhove poslijeratnih jugoslavenskih književnosti. Od njih Kocbek se razlikuje po tome što je rodno mjesto njegova književnog dara u ljudskoj i kršćanskoj ispravnosti. A to je tako rijetko i, zapravo, toliko nemoguće, da je i među južnoslavenskim i europskim književnim velikanima Edvard Kocbek usamljenik kao i među Slovencima ili katolicima.

Njegova knjiga od četiri novele »Strah i hrabrost«, koja se još uvijek zna naći, u izdanju Globusa i u prijevodu Ivana Cesara i Marije Nađ, djeluje i danas, šezdeset godina nakon svoje slovenske premijere (prvim izdanjem iz 1951. i započinje Kocbekova društvena izolacija), poput emocionalne, intelektualne i književne bombe. Novela »Crna orhideja« jedna je od najljepših južnoslavenskih proznih dionica, visokoestetizirana erotska propovijed, s kojom pisac dovodi čitatelja do posljednjih konsekvenci onoga do čega dolazimo kada se usuđujemo presuđivati drugim ljudima. Kocbekov moralizam je neusporediv i svjež, i teče mimo duge tradicije katoličkoga i latinjanskoga licemjerja, i mimo stoljeća proznih i pjesničkih moralki na ratne teme.

Planirao je biti prozni pisac, i nakon rata pisati romane, dok je pjesme pisao više onako usput. Neusporedivo je najveći pjesnik jugoslavenskoga totalitarizma i među najvećim svjetskim pjesnicima koji su pisali o komunističkim diktaturama. Kada je, krajem šezdesetih, otkrio prislušne uređaje u svome ljubljanskom stanu, napisao je pjesmu »Mikrofon u zidu«, koja započinje stihovima: »Tako, sada smo sami,/nema više nikoga osim nas«, i više govori o staljinističkim i parastaljinističkim režimima, nego sve historiografske knjige zajedno.

Istovremeno, pisao je liriku, koja svojim dokumentarizmom djeluje kao neka vrsta podsjetnika za nikad napisane romane. I na koncu, spjevao je »Lipicance«, lirsku studiju o slovenskome nacionalnom identitetu, najljepšu domoljubnu pjesmu koja se može zamisliti, pred kojom mi — koliko god to bilo banalno i koliko god se činilo djetinjastim poigravanjem s nabijenim revolverom patriotizma — svaki put biva drago što sam po djedu i po njegovome zavičaju u Kneži kod Tolmina i ja jednu četvrt Slovenac. U toj konjušarskoj i konjskoj pjesmi sve je tako veliko i istovremeno toliko ponizno, da ju je, kao i samog Kocbeka, nemoguće upotrijebiti u nacionalističke svrhe.

Na tridesetu godišnjicu pjesnikove smrti, njegov najvažniji slovenski proučavatelj i tumač, poznati književni i kazališni kritičar te dramaturg, Andrej Inkret, objavio je, kod založbe Modrijan, knjigu »In stoletje bo zardelo«, s podnaslovom »Kocbek, življenje in delo«. Najviše što bi se moglo reći o toj odlično napisanoj biografiji bilo bi da je ostala dostojna čovjeka čiji život i djelo nastoji opisati. Osim što se nije odao tako čestoj navadi biografiziranja fikcije ili potrage za biografskim motivima u Kocbekovim pjesmama i novelama, osim što je vlastitu autorsku osobu potisnuo u najvećoj mogućoj mjeri, osim što se nije pravio pametan nad njegovim književnim djelom, niti je nastojao pokazati kako je on, Andrej Inkret, živ, dok je Edvard Kocbek, eto, pokojnik, Inkret je napisao knjigu u kojoj nema antikomunističkih ispada, niti nastojanja da se, u političkom smislu, od Kocbeka načini nešto što on za života nije bio. Osim što je smjerno i faktografski precizno ispisao životnu priču velikoga pisca, Inkret je, i ne htijući, sastavio jednu slovensku poslijeratnu povijest.

Naslov knjige, koji bi u hrvatskom bolje zvučao kao »I vijek će pocrvenjeti«, nego »I stoljeće će pocrvenjeti«, zadnji je stih pjesme »Tko sam?«, koju hrvatski čitatelji, kao i čitavu knjigu Kocbekovih izabranih pjesama, imaju u izvanrednom prijevodu Slavka Mihalića (Matica hrvatska, Zagreb 1970.). Ovako ta pjesma, mojom rukom izglačana u prozu, završava: »U ponoć odano legnem među zlatne mačeve na Hamletovoj terasi. I tek pred jutro bacam se u sedlo daljina iza sedam puta sedam mjesečina te odjezdim prema darežljivoj ruži spremnoj za izbijanje, jednom će pogledati oholom stoljeću u obraz i ono će pocrvenjeti.« Kocbek je, doista, imao sreće s takvim hrvatskim prevoditeljem, kao što je imao sreće i sa Zdravkom Zimom, koji je u nekoliko prigoda o njemu pisao sa znanjem, razumijevanjem i udivljenjem. Tako je pogovorio i Kocbekova »Izabrana djela«, objavljena u izdanju zagrebačke Alfe 2009. godine. Na žalost, ta bezobrazno skupa (350 kuna) i aljkavo načinjena knjiga, mimo Zimina pogovora, nipošto ne predstavlja piščevo reprezentativno izdanje, te ju ne treba uzimati u ruke. Primjerenije je po antikvarijatima tražiti Globusova izdanja Dnevnika s kraja osamdesetih ili — posreći li vam se — davno izdanje izabranih pjesama, premda je najreprezentativniji izbor Kocbekove poezije, iako ne u najboljim prijevodima, objavljen na srpskom, u izdanju Nolita, u Beogradu 1983.

I onda, zbog čega se Služba, zašto se komunistički režim toliko plašio Edvarda Kocbeka? Andrej Inkret s razlogom izbjegava moguće odgovore na ovo pitanje, jer to ne bi bila tema pjesnikove biografije, nego kolektivne i nadindividualne biografije Službe. Iako je strah o kojemu je Kocbek pisao bio ugrađen i u sam smisao Službe, u njezine motive i način rada, ne bi se moglo reći da su ga se plašili zbog njegova znanja o strahu. Edvard Kocbek bio je opasan jer on, za razliku od kršćanskoga puka i klera, te za razliku od većine intelektualaca i pisaca kršćanske inspiracije, svoju vjeru nije započinjao odgovorom na pitanje postoji li Bog, nego odgovorom na ono što je za kršćanina i njegovu moralnu i životnu egzistenciju puno važnije: treba li misliti, djelovati i osjećati kao da Boga u svakom trenutku ima. O prvome se može dvojiti, i dužnost je vjernika da sumnja, ali o drugome, za Kocbeka, nikakve dvojbe nije moglo biti. To je ona vrsta moralne striktnosti koja će u Centralnome komitetu, u Crkvi i u svakoj drugoj ideološkoj ili ideologiziranoj ustanovi izazvati posve razložan strah.

# Ivo Andrić, Mara milosnica i saga o Pamukovićima

Nekoliko je čmalih pupoljaka u Andrićevu opusu. Nagoviještenih, a nikad napisanih romana, pravaca kojima je pisac kretao, da bi zatim odustao. Bilo bi zanimljivo forenzički istražiti takve pupoljke, kao i moguće razloge i objašnjenja zašto se nisu rascvjetali. Više bi to bilo fikcionalno, nego kritičko ili književnohistorijsko istraživanje. Iz njega bi mogla nastati mistifikacija o cijelome jednom neostvarenom i neispisanom, a svejedno postojećem književnome opusu Andrićevom. Jedno od takvih nagoviještenih djela je romaneskna saga o sarajevskoj katoličkoj obitelji Pamukovića, neka vrsta sarajevskih Buddenbrookovih. Nikada takvu knjigu on nije spomenuo, ali se ona desetljećima dugo najavljuje u fragmentima i u pripovjetkama.

Prvi put Pamukovići se javljaju u jednoj od najsnažnijih njegovih pripovjedaka, u kojoj se spustio do samoga socijalnog i emocionalnog dna svoga svijeta, tako duboko i toliko nisko, kako više nikada neće ići. U emocionalnom smislu pisac će tako riskantno nastupati obično samo kada piše o nečemu što pozna vlastitom kožom, dakle ukoliko piše skrivenu ili otvorenu autobiografiju. U pripovijetki o kojoj je riječ nema autobiografskih naznaka, ali je njena osjećajnost takva da čitatelj naprosto ne može izdržati da ne misli kako Ivo Andrić piše stvarnu priču o sebi ili o nekome svom.

Proza, pod naslovom »Mara milosnica«, prvi je put objavljena 1926, u Srpskome književnom glasniku. Radi se o jednoj od dužih Andrićevih pripovijedaka. U kanonskom izdanju njegovih sabranih dijela (Svjetlost — Sarajevo, Mladost — Zagreb, Prosveta — Beograd, DZS — Ljubljana i Misla — Skopje) iz 1976, »Mara milosnica« zaprema cijelih osamdeset stranica, a po slobodnoj procjeni, mogao bi to biti tekst od dvadeset pet tisuća riječi. Dužinom, riječ je, dakle, o kratkome romanu, ali koji nikada nije samostalno objavljen. Andrić ga je uklopio u tom naslovljen »Jelena, žena koje nema«, u kojem se nalaze sve same »ženske« priče. »Mara milosnica« pisana je na ijekavici, a pisac je, kao ni druge takve svoje tekstove, nikada nije ekavizirao, uvjeren da se radi o jednome jeziku i da sve treba ostati onako kako je prvobitno i napisano. U trenutku njezina objavljivanja imao je trideset četiri godine.

Priča se odvija u mjesecima pred austrougarsku okupaciju Bosne i Hercegovine iz 1878. Mara Garić, rodom Travničanka, kći je Ilije ekmeščije, tojest pekara, i »čuvene Jelke«, zvane Hafizadićka, »jer ju je stari Mustaj-beg Hafizadić držao nekoliko godina kod sebe, pa je onda udao za ovoga Garića, koji je bio miran i slabouman mladić, i kome je on i otvorio ovu pekarnicu«. To čudesno lijepo djevojče je, s nepunih šesnaest, palo za oko Veli paši, glavnome komandantu sve turske vojske u Bosni, jednome po svemu impresivnom i europeiziranom Turčinu, prezrivom prema domaćoj halaši svake vjere i dobro svjesnom da je stigao na kraj jedne imperije i da nema načina, a ni razloga, da ju spašava. Veli paša je introvert, koji ima svoju muku, ali i nedirnuto dostojanstvo i veličinu. Andrić ga opisuje s poštovanjem, bez ijedne negativne konotacije. Njemu Mara dolazi, on joj govori: »Hoćemo li kćeri?«, a ona mu se onda primakne. Poslije joj priča ono što ju zanima: »Šta je s onu stranu mora? Kakvi su ljudi Rusi? ili Kako to da se mogu i sveci i ljudi slikati?« I onda opet ispočetka.

Kada, malo pred pad, dolazi vijest o njegovoj smjeni, Veli paša ostavlja Maru i odlazi prema Istanbulu. Tada, s povijesnom pozadinom sarajevske bune i oružanog otpora Austriji, započinje Marina anabaza. Veličanstvene su scene mržnje kojim biva od »svojih« dočekana, naročito kada dođe u crkvu, kod fra Grge, koji u njoj vidi i starozavjetnu grešnicu, ali i onu koja je u neko živo vrijeme i u stvarnim okolnostima, počinila izdaju. Kako to u Andrića ne biva često, većina likova u pripovijetki, naročito pobunjenika, na čelu s povijesnim Hadži Lojom, stvarne su ličnosti, sa svojim imenima i prezimenima, a i dani pada opisani su uvjerljivo dokumentaristički.

Dok se očekivalo da Austrijanci provale u grad, nevjernici su se — u strahu od osvete domaćih Turaka — skrivali okolo, ili su se zatvorili u onih nekoliko uglednih kršćanskih kuća, za koje su vjerovali da ni pobunjenici u njih neće dirati. I tako se, nekim slučajem, Mara kao služinče našla u Pamukovića kući. Prokleto lijepa i zamamna, a — to se nije znalo — i trudna. Slijedi njezina propast, koja sasvim koincidira s padom grada. Dok nju nose mrtvu da ju pokopaju, s druge strane nailazi kolona austrijskih vojnika, koji sarajevske uglednike i bundžije vode na gubilište.

Mara je, kao što je bio i njezin otac, slaboumna, i malo razumije ono što se oko nje zbiva. Ali o tome pisac skoro da i ne govori. Ono što je važno njezina je čista dobrota i ljepota, i to naivno, užasno bolno, pučko katolištvo Marino, koje, opet, na neki čudan način podsjeti na vjeru iz ranih pjesama Nikole Šopa. Način na koji Ivo Andrić opisuje njezinu propast, i kako ju na politički šokantan način (bio bi šokantan Andrićevim bošnjačkim i hrvatskim istjerivačima vraga iz ovoga srpskog pisca) postavio uz propast jedne Bosne, neusporediv je s bilo kojim drugim tekstom iz naše prozne i poetske povijesti, pa i iz piščeva opusa.

Andrić, recimo, preko vlastite mjere produžava čak i tugu nad Marinim grobom, pa daje glas sluškinji u Pamukovića, Jeli, čvrstoj i moćnoj ženi bez djece: »Same su joj se riječi otimale, i te njene rođene riječi još su je više rastuživale. Ima toliko godina, niko nije vidio da je suzu pustila. Sad je plakala i naglas molila Boga da ubrani i zakloni sve žene, nesrećne druge i mučenice.« Nije Andrić sentimentalan nad tim svojim živim grobom i nad svojom turskom milosnicom (što je ubitačnija, jer je psovke lišena i jer je sva mehka, bosanska riječ za kurvu). On nad njom rida, ispisujući rečenice koje su lišene svake uobičajene, životne i literarne, kondolirajuće ceremonijalnosti, te slatke tuge preživjelih. Te su rečenice čisti bol, i ničega više osim bola nema.

Ivo Andrić je — što mazlumi ne mogu shvatiti i prihvatiti kao dio spisateljske strategije — u svojim pripovijetkama, pričama i romanima sklon kroničarskom mudroslovlju, sentencama i povremenom aforističnom govoru. U »Mari milosnici« ni toga nema. Ta je pripovijetka gola, bez ikakve stilističke ili ideološke zaštite, kao ogoljen i živ zubni živac. Sve u »Mari milosnici« boli i sve mora da boli.

Kada se čeprka po pripadnostima Andrićevim, kao po — da nastavimo metaforu — nekome zapuštenom i starom karijesu, pa kada se traži ono što bi u njega bilo naše, hrvatsko, ili tačnije rečeno bosanskohrvatsko, jer ama baš ništa u njega nije, niti može biti, izvan ovako izvedene složenice, hrvatsko, rijetko će se tko sjetiti »Mare milosnice«. Ili se, barem, neće na nju pozivati. Nekako su nam draže i bliže priče iz fratarskog ciklusa, u kojima svakako ima tog zavičajnog i identitetskog herojstva, te čvrstine o kojoj volimo misliti kada naknadno sebi tražimo pređe, ili kada među piscima kanimo nalaziti one koji su najtačnije opisali naše podrijetlo i ono što jesmo. I prirodno je tako. Svaki je kolektivni identitet načinjen od herojskih epova. Pripovijesti o milosnicama uvijek su privatne. Na margini

»Mare milosnice«, a iz nekoga drugog ključa, Danilo Kiš je u »Enciklopediji mrtvih« napisao priču »Posmrtne počasti«.

»Mara milosnica« je pisana u autobiografskome emocionalnom ključu. Dalje od toga ne smije se reći, niti je dalje od toga pristojno misliti. Ali nije napisan književni tekst koji bi o bosanskohrvatskom narodu i o njihovome glavnom gradu Sarajevu autentičnije i dublje govorio. Priča o jednoj kurvi, identitetska je legitimacija toga svijeta. I to je, zapravo, lijepo, bolno i tako izuzetno.

O razlozima zbog kojih Ivo Andrić nije mogao napisati svoju sagu o Pamukovićima vrijedilo bi misliti, čak i nagađati, ako je moguće da se iz nagađanja rodi literarno uvjerljiva priča, kojom neće biti dodatno opterećene sudbine živih i mrtvih. A iskazano bilo bi to nepodnošljivo bolno mjesto čovjekova ličnog podrijetla.

# Vladimir Pištalo, venecijanska autobiografija

Sredina je sedamdesetih, veljača, lažno proljeće, vrijeme je beogradskoga FEST-a; dječak opčinjen izlazi s projekcije filma »Casanova«, Federica Fellinija. Atmosfera karnevala, grada koji pluta na vodi, okrutnoga beogradskog odrastanja, đačkog terora... Tako započinje »Venecija«, novi roman Vladimira Pištala (Sarajevo, 1960), objavljen ovoga ljeta, u izdanju zrenjaninske Agore. U podnaslovu stoji »Bildungsroman«, što ova knjiga i jest, ali ako je kakav dokoni profesor književnosti poželi rastaviti ili istranširati po shemi koja visi u svakoj našoj mesnici, a po kojoj se govedo rastavlja na sastavne dijelove, tada će u ovome bildungsromanu naći svega: svrabnog i bolnog sazrijevanja, karnevaleskne fikcije, eseja i reportaže, kulturoloških rasprava, autopoetskog testamenta, a bome i obilje putopisa, pisanoga onom vrstom emocionalnog angažmana i unesenosti, kakvih u ovome jeziku (ili ovim jezicima) i nije bilo mimo Zuke Džumhura. I već bi se našla kakva budala da tričetriput cokne jezikom, sve glavom odmahujući, kako sav taj raznorodni tekst i žanrovska mješavina ne spadaju u roman, makar bio i bildungs, i da od novog Pištala nema dobre teletine. To je taj zlosretni problem s književnom kritikom i književnom profesurom uopće, a pogotovu u Južnih Slavena: kvalitetni su u osnovnim mesarskim poslovima, u razlici između bifteka i ramsteka — to su u školi naučili — ali čim se nađu izvan kasapnice, književnost do njih nikako da dopre. Za razliku, naime, od glazbenih kritičara, za koje se pretpostavlja da bi trebali biti muzikalni, književni kritičari mogu biti sasvim lišeni bogomdanog talenta da čuju, vide i onjuše ono što čitaju. I onda zna nastati problem s piscima koji se ne drže žanrovske sheme sa zida mesnice.

»Veneciju« ne treba rastavljati, jer je skladana i sastavljana u istome tonalitetu i jeziku. U »visokim«, kao i u »niskim« registrima Pištalo je isti pisac, a njegov tekst se, u najplementijem smislu riječi, čuje, vidi, njuši i osjeti, onako kako se čuje, vidi, njuši i osjeti samo velika poezija. Na jednome mjestu, recimo, »žene tuku muve kastanjetama«, na drugom, »tri goluba su veoma visoko poskočila u crnogorskom plesu i spustila se na tlo«, a onda »Madone su sagle glave pred kućicama za ptice«. Ili, možda, ovoga kolovoškog časa, ovome čitatelju, i najljepše: »Kiša se slivala po staklima kao Brajova azbuka.« Smisao govora o književnosti (iako bi, katkad, bilo i bolje samo šutjeti i čitati), možda je baš u divljenju nad ovakvom usporedbom i u pokušaju, uvijek uzaludnom, da se objasni smisao otkrovenja u njoj izrečenog, ili da se, barem, nastoji objasniti zašto je ova usporedba dobra, a neka druga loša (u čemu bi se, možda, dala naslutiti i razlika između velike poezije i onoga što poezija nije, a htjelo bi biti). Kapi kiše se niz staklo slivaju kao Brajeva azbuka (ili za higijeničare: abeceda), jer se Brajeva azbuka pod prstima sliva, kao što se kapi kiše slivaju niz staklo. U toj usporedbi nema ničega napadnog ili nasilno izvedenog, ništa što bi se opiralo čovjekovim spoznajama, nego se čini kao da je ona oduvijek, s obje strane istinita, začuđujuće istinita, kao palindrom.

Od toga je, od takvih malih pjesničkih čudesa, načinjena »Venecija«. Knjiga koja diše, mijenja se i kreće, bildungsroman koji traje i nikada ne dosegne ono mjesto na kojemu će jedno odrastanje, formiranje i sazrijevanje konačno biti dovršeno. Za to postoji dobar i važan razlog: Pištalo je, i kao pisac i kao osoba, čovjek nedovršenog identiteta. Dijelom, to je proizašlo iz njegove biografije, iz niza iskorjenjivanja, ali puno više je nedovršeni identitet stvar emocionalnog i kulturnog opredjeljenja, čovjekove nespremnosti i nesposobnosti da se postane samo jedno, a da se sve drugo u sebi ubije, ukine i potruje. Iz takve nedovršenosti, uostalom, nastaju razlozi za književnost.

»Venecija« je i knjiga o Mediteranu. Naravno, sasvim osobna. Na piščevo pitanje gdje započinje, a gdje prestaje Mediteran, odgovara mu njegov stric Mišo Pištalo: »U mostarskoj kotlini, iznad naših kuća. Odatle uzbrdo još dvesta metara uspeva smokva i šipak. Posle više ne može.« Granica, nesumnjivo, savršeno iscrtana, kakve mogu biti samo one granice koje bivaju crtane u ličnim i porodičnim pričama, individualno, mimo logike nacionalnih i inih amorfnih kolektiviteta. Zato je Pištalova knjiga o Mediteranu u kontekstu naših kultura i književnosti toliko neusporediva. Svako opće znanje u njoj provedeno kroz pojedinačnu, vrlo osobnu i identitetsku priču. Onako kako je to, uostalom, preporučio i sam Braudel, čije je riječi Pištalo ispisao u motu jednoga od poglavlja: »Čitalac će najbolje učiniti ako svemu prida svoja sećanja, svoje viđenje unutrašnjeg mora.« U usporedbi s načinom na koji je Vladimir Pištalo proveo ovaj savjet, većina učenoga i celomudrenoga, osobito hrvatskog pisanja o Mediteranu, djeluje kao pisanje neplivača, koji stoji pred »unutrašnjim« morem, a za pet je naučio teoriju plivanja.

U jednom poglavlju, možda i najljepšem, pisac odgovara što je to Mediteran. Pa, između ostaloga, kaže: »To su antičke menjačnice gde se menjao novac za novac a bogovi za bogove... To je gnom delfinskog čela, koji je popio kukutu i tugu svojih učenika ispravio kao logičku grešku... Mediteran su mladići kudravi kao čempresi i starice koje ćućore po crkvama... To su dostojanstvene toge koje su postale galabije... To su islamski natpisi — nebeski grafiti u kojima je reč božija postala tečna. Povrh plaveti, jasni glas sa minareta poziva boga: dođi i igraj u meni!« Crkve koje se pretvaraju u džamije i džamije koje bivaju crkvama, to je nešto što je u stanju vidjeti svatko tko želi gledati i tko, poput mediteranista zidićevskog tipa, ne pristupa Mediteranu tako što se sa činjenicama hrve grčkorimskim stilom, ali opisati sve te prelaze i njihovu bit, saliti ih u metafore i u vlastitu sudbinu, uopće i primijetiti da su antičke toge sačuvane u arapskim galabijama, kao u živom sjećanju Mediterana, e to može jedino veliki pisac.

Vladimir Pištalo je stručnjak za svjetsku i američku povijest, koje već godinama predaje u Americi. Ali on,vidite, ne piše romane o Indijancima i o Georgeu Washingtonu: »Nekoliko godina sam živeo sa Venecijom, što je lepo i pesnički. Nikada nisam žudeo da postanem stručnjak za ono što volim. Nikad nisam stekao taj ginekološki odnos prema ljubavi. I dalje mislim da čudo nastaje kao kombinacija znanja i neznanja. Zlatnim koncem imaginacije moram stalno krpiti pocepanu tapiseriju poznatog.« U ovome autopoetskom iskazu udjenutom u roman, Pištalo je dopričao i priču o sebi, ono od čega je »Venecija« i krenula i po čemu i jest bildungsroman. A bilo bi, čini mi se, i sasvim neknjiževno, osim što bi u životu bilo dosadno, uznastojati da se postane stručnjakom za ono što se voli. Bio bi to izraz nemoći pred poezijom, više nego što bi ikad moglo postati superiorno vladanje činjenicama i raznim ljudskim znanjima. Bog je sve, ali nije pjesnik, jer Bog sve zna, pa zato i ne može biti pjesnik. Razlog za književnost je u neznanju, nedovršenosti i nedovoljnosti. Ali, zar i Fernand Braudel, koji nije, barem nominalno, bio pjesnik, nije dio te strategije iskoristio u rekonstruiranju historije Mediterana?

A onda i čitatelj upisuje svoja sjećanja, svoj osjećaj unutrašnjeg mora: kada sam, pod kraj rata u Bosni, stigao u Veneciju, imao sam potrebu pregledati zvonca na ulazima u venecijanske kuće, i pokraj njih imena. Prvo ime, na običnoj metalnoj pločici, istoj kakve su stajale i na našim vratima, bilo je — Funes. Venecija mi se učinila kao idealno mjesto za samoubojstvo u taj pravi čas, prije nego što budem prisiljen započeti novi život, nakon onoga koji je ratom prekinut. Idealno mjesto za nekoga drugog, naravno, jer se ne bih mogao ubiti ako ne postoji, a po svoj prilici ne postoji, mogućnost da se čovjek nakon smrti pretvori u svevideće oko, kojim će i dalje gledati što se zbiva s njegovim svijetom. I u mom slučaju, taj svijet je negdje na granici dokle rastu šipci i smokve, na ničijoj zemlji, u vremenu koje je sadržano u prezimenu jednoga Venecijanca.

Vladimir Pištalo napisao je za mene treći identitetski tekst o Veneciji. Prethodna dva su »Vodeni žig« Josifa Brodskog i »Zašto tone Venecija« Abdulaha Sidrana.

# Nedžad Ibrišimović, pisac koji je klesao sjene

Jedan je od onih rijetkih dana u životu, kojima upamtiš sve, pa i datum: 31. je listopad 1992, popodne, u jednoj od konferencijskih sala hotela Holiday Inn postavljena je trpeza za četrdesetak ljudi. Sjeli smo jedan nasuprot drugome, on koji je »Izjavu osnivača PEN Centra Bosne i Hercegovine« malo prije potpisao pod rednim brojem 12, i ja koji sam je potpisao pod rednim brojem 23, kako će to trajno stajati u temeljnome dokumentu udruge. Dok čekamo da nas konobari podvore, opijeni pomalo tom čudnom oprekom između humanitarne pomoći, zime koja stiže, opsade, rata, te ceremonijalne raskoši slavnoga hotela, konobarskih mondura, njihovih pokreta, i savršene konobarske koreografije, tražim čas da mu ispričam ono što još od jutros imam na umu: u jednoj epizodi stripa, Corto Maltese pripovijeda kako je žiletom, skrivećki od sudbine, na dlanu spajao prekinutu liniju života. Istu je stvar, na jednak način, učinio Nedžadov alterego i glavni junak njegova romana »Bog si ove hefte« (u kasnijim izdanjima »Car si ove hefte«). Hugo Pratt nikada, srećom, nije čitao Ibrišimovića, jer da jest, Corto ne bi žiletom spajao prekinutu liniju života, jer bi to onda bila autorska krađa. A ni Nedžad, srećom, nije mario za stripove, jer bi ga bijeg od njihove jednostavnosti i prostodušnog heroizma, možda, lišio od njegovog vlastitog smisla za čudo i za prostodušno čuđenje. Upitao sam ga tad je li on stvarno na svome dlanu spajao prekinutu liniju života. »Na to ti k'o musliman ne mogu odgovorit«, rekao je najdubljom od svojih dubokih intonacija, »za mene je danas to s linijom života obična praznovjerica i danguba«. Malo zatim, kukom kažiprsta zovnuo me je da se nagnem, i onda mi je u uho šapnuo: »Jesam, spaj'o sam, al' ne liniju života, nego liniju sreće!«

Bezbeli, Bog jednako čuje Nedžadov šapat kao i Nedžadovu viku, ali to je samo mali igrokaz, dramska pirueta, kakvih je puna bila njegova komunikacija sa svijetom, s ljudima od kojih je mogao nešto dobiti ili s onima s kojima je, na živo, želio provjeriti nešto svoje. U svakome budnom trenutku svoga života, u snu i u mamurluku, na koncu i u molitvi, Ibrišimović je bio pisac. Prije rata dugo je bio veliki, istinski pijanac. U ratu, ili malo prije, postao je veliki, istinski vjernik. Jedno i drugo bio je sasvim, i na lijep, i na okolini ružan način, ali je pred alkoholom, kao i pred Bogom, stajao kao čovjek koji zna što čini i koji je uvijek samo to što jest. Ni alkoholizam, ni vjera nisu ga od toga mogli odvratiti, niti su ga u njegovoj književnosti, u stalnoj potrazi za čudom, činili manjim, slabijim ili neurednijim. Samo suprotno od toga.

Kao usput, bio je vajar, skulptor. U vrijeme kada bi u kasne sate — prema doušničkim izvješćima — znao pijan psovati Tita, čega se kasnije ne bi sjećao, ali bi fasovao mjesec dana prekršajne robije, Nedžad je izrađivao Titove biste. To se u ono vrijeme moglo dobro prodati. Bile su bijele, solidno načinjene, s pogođenim izrazom maršalova lica. Njegov Tito nije bio strog. Bio je ozbiljan i pomalo začuđen. A kasnije, prije nego što će prestati da pije, opsesivno je pokušavao da izvaja čovjekovu sjenu. Skulpture iz tog perioda, u kombinaciji metala i neke providne plastične mase, sličile su na radove Alberta Giacomettija, ali i ta je sličnost bila slučajna. Pokušaj da izvaja ljudsku sjenu, u kojem, žalio se poput ratnika poražene vojske, nikada nije uspio, najdublje se ticao Ibrišimovićeve književnosti: bila je to potraga za čudom.

Nedžad Ibrišimović bio je vrlo raznovrstan, a furiozan pisac. Bio je u stanju pisati na čistu, skoro pa tjelesnu snagu, toliki je i takav bio njegov dar. Roman »Bog si ove hefte« napisao je nabrzinu, u mjesec ili dva, za natječaj jednoga sarajevskog nakladnika, i u njemu, bez koncepta i okvira, pišući onako kako mu dođe, opisao vlastitu svakodnevicu, a s njome i društveni život jednoga Sarajeva s kraja sedamdesetih. Bila je to stvarnosna proza, ali ne ovakva kakva se piše po hrvatskim aršinima, nego proza koja se zbilja referirala na nekakvu živu stvarnost, tako što ju je, posredno, i proizvodila. Iz te opsegom malene knjige nastala je, ili se na nju, kao na pouzdanog svjedoka, naslonila jedna sarajevska književna generacija, i u njoj, na primjer, i Dario Džamonja.

Ali pisao je Nedžad i mračne, zlokobne i mutne historijske romane. Povijest je za njega bila tamni bunar, u kojem su se, redom, utapali ljudi koji su pokušavali učiniti nemoguće, stvoriti čudo, od kojih su neki na kraju, u njegovome predzadnjem romanu »Vječnik« poživjeli punih pet tisuća godina. Pa iako ni »Vječnik«, ni njegovo zadnje djelo, koje se na »Vječnik« nadovezuje, »El-Hidrova knjiga«, nisu u vrhu Ibrišimovićevog opusa, u ta dva romana on je do kraja radikalizirao, ekstremizirao svoju poetiku i doveo je do njezinih posljednjih konsekvenci. Umro je Nedžad kada više nije mogao naći većega čuda.

Pisao je briljantne kratke priče i crtice, novokomponirane narodne legende, burleskne mistifikacije, pripovijesti u formi vica, viceve u formi pripovijesti, koje je krajem sedamdesetih objavljivao po novinama, a zatim ih je tiskao u knjizi »Nakaza i vila«. U vrijeme prve objave, 1986. godine, »Nakaza i vila« bila je poput herbarijuma u kojemu su, umjesto osušenoga trebevićkog bilja, prešana i sačuvana sve sama čuda, koja je pisac olako i bogate ruke predao svijetu. Drugi bi se od onoga što je

Ibrišimović ukratko sastavio u »Nakazi i vili« hranili u nekoliko književnih života i romanesknih opusa, a on je sve to tako i ukratko izbacio van, jednostavno jer je od svega imao viška, i od čuda, i od fabula. Premda, ni to nije najbolja Nedžadova knjiga, »Nakaza i vila« čista je demonstracija književne sile i moći.

A možda svoju najbolju knjigu on nije niti napisao? Može i tako biti. Ovome čitatelju, koji ga je volio i divio mu se i kada to u sarajevskoj intelektualnoj i novinarskoj čaršiji nije bilo popularno — jer je Nedžad bio neofit i prevelik vjernik, ali i kada je u toj istoj, bezbeli sekularnoj, čaršiji Nedžad postao veoma popularan, iz istih mondeno-klerikalnih i nacionalnih razloga, uz »Nakazu i vilu« najdraže su, a možda i najbliže, dvije njegove rane knjige, romani »Ugursuz« i »Karabeg«. No, možda je Ibrišimović zaista bio jedan od onih pisaca, koji su veći i od svoga najvrjednijeg djela, a kakvih katkad biva u malenim, skučenim, izvana i iznutra zatvorenim kulturama. Takav književni fanatizam i takvu snagu, a opet i toliko pomaknuće i iščašenost, teško bi mogle podnijeti, a onda i motivirati, i veće književnosti od bošnjačke i bosanske, pa i one birvaktilske jugoslavenske.

Premda je sve njegovo bilo provincijsko i zatureno, mimo puteva i metropola, Nedžad Ibrišimović u sebi nije imao ničega provincijalnog ili provincijskog. I u toj je stvari bio dostojan vlastite literature, ali i vlastite ideje o literaturi i o tome što ona treba biti. U jesen, ili je to već bila zima 1992, kada već odavno nije bilo struje u gradu, pa je slušanje radija nosilo nešto od religijskoga ceremonijala, a baterije su se štedjele, uglavnom, samo za vijesti, Nedžad Ibrišimović je na radiju čitao svoju »Knjigu Adema Kahrimana«, prozu o ratu i iz rata koji je okolo upravo trajao, ali takvu prozu kao da je sve to bilo jednom davno, kao što smo jednom davno bili i mi koji to na radiju upravo slušamo, i kao da smo i Adem Kahriman i svi mi zajedno prošli kroz pamet i kroz dušu, kroz to stoput spomenuto Nedžadovo umijeće čuđenja, i kao da smo mu živi prešli preko jezika, i evo nas sad tu. Ta prva verzija Adema Kahrimana, koju će kasnije nadopisivati i nadopisivanjem kvariti, izazvala je tako intenzivan estetski doživljaj da ću dugo, da ću često i danas snagu emocionalnog udara nekoga proznog teksta uspoređivati s Ademom Kahrimanom, čitanim na sarajevskom radiju, glasom Nedžada Ibrišimovića.

Nisam primijetio da je u Hrvatskoj igdje notirana smrt ovoga pisca. Mimo otužnih manjinsko-klerikalnih klovnova po predsobljima zagrebačkih književnih društava, gdje većinci sa svojih marulićevskih visina na bošnjačke, crnogorske, pa i srpske pisce gledaju sa specifičnim intelektualnim simpatijama — baš kao da se to na njihove oči orangutani i čimpanze uče pisati sonete, Nedžada Ibrišimovića u Hrvatskoj nakon zadnjega rata zapravo nije ni bilo. A nije ga previše bilo ni prije. Istina, od te hrvatske izočnosti nije imao veće štete. Na gubitku su oni koji ga nisu čitali. Kada bi se sav živi vrh južnoslavenskih književnosti trebao sabrati i rasporediti u dva renaulta 4, bilo bi unutra mjesta za Nedžada Ibrišimovića. Možda baš za upravljačem crvene četvorke.

# Marcel Reich-Ranicki, književnost kao domovina

Godinama sam poznanike među hrvatskim izdavačima nastojao nagovoriti da prevedu i objave knjigu Moj život, Marcela Reich-Ranickog. Papa njemačke kritike i jedan od najautoritativnijih europskih intelektualaca i književnika, čovjek impresivne biografije, kada ga je Grass 1958. upitao što je on zapravo, odgovorio mu je — ja sam pola Poljak, pola Nijemac i jedan cijeli Jevrejin — da bi zatim rekao kako to uopće nije istina, nego samo zgodna dosjetka; time sam i još koječim, kažem, tim učenim i neukim ljudima, trgovcima knjigama, kulturnim uljezima i prevarantima, ali i gospodi i damama s autentičnom književnom strasti, reklamirao Reich-Ranickog i njegovu knjigu, ali sada već znam, jedanaest godina po prvome njemačkom izdanju i pet godina nakon prijevoda na srpski (Stylos, Novi Sad 2005, prevoditelj Života Filipović), da je moj trud bio uzaludan. A doista nikad mi do prijevoda neke knjige na hrvatski nije toliko bilo stalo. Zašto?

Marcel Reich-Ranicki rođen je 1920. u Wloclaweku, gradu s gotičkom katedralom iz četrnaestog stoljeća, u kojemu se između 1489. i 1451. školovao Nikola Kopernik. Premda rođenjem Poljak, materinji jezik bio mu je njemački. Roditelji su mu bili poluasimilirani Jevreji, otac neuspješni trgovac, majka rođenjem Njemica, koja nikada nije kako treba naučila poljski jezik. Kada je otac 1929. bankrotirao, preselili su se u

Berlin, grad u kojem će Marcel maturirati, a zatim 1938. biti protjeran, u skladu s protujevrejskim zakonima, kao poljski državljanin. Rat ga je zatekao u Varšavi, u vrijeme prvih transporta za Treblinku pobjegao je iz geta i sakrio se na selu, kod jednog Poljaka. 1944. pridružio se pokretu otpora, a 1945. postao član komunističke partije, ili tačnije — Poljske radničke partije. Odmah poslije rata živio je i radio kao poljski diplomat u Londonu, u svakom smislu bio je situirani građanin i neimar jedne mlade narodne demokracije, ali nakon svega se, krajem pedesetih, vratio u Njemačku.

Ubrzo je postao književni kritičar u Die Zeitu, pa urednik književnosti u Frankfurter Allgemeine Zeitungu i na kraju neka vrsta vrhovnoga procjenitelja njemačke književnosti i njezina najznačajnijega zemaljskog zagovornika. Reich-Ranicki nikada ni jednoga dana nije studirao. Kada se, malo pred protjerivanje, 1938. pokušao upisati na studij germanistike, vrlo su ga obzirno odbili, nakon čega više nikada nije nogom stupio na taj fakultet, koji mu je, iz rasnih razloga, tada bio nedostižan. Kada su ga protjerivali, dopustili su mu da ponese samo jednu aktntašnu, u kojoj je nosio rezervnu maramicu i jedan Balzacov roman (koji mu se, kaže, nimalo nije svidio, i u putovanju je zažalio što nije uzeo neku drugu knjigu). »Ali na put sam poneo još nešto što je, naravno, bilo nevidljivo. Na to nisam mislio u onom hladnom vozu kojim sam deportovan iz Nemačke. Tada nisam mogao ni da naslutim koja će uloga u mom budućem životu jednom dopasti tom nevidljivom, tom, kako sam se bojao, sada beskorisnom i suvišnom prtljagu. Jer iz zemlje iz koje sam sada proteran bio sam poneo sa sobom jezik, nemački, i književnost, nemačku.«

Kada se puno godina kasnije bude vraćao u Njemačku, neće to biti ni povratak domovini, a još manje idealu nekoga boljeg i sretnijeg života. Reich-Ranicki imao je dobre razloge da ne vjeruje ni u jedno, ni u drugo. Njegova jedina domovina — i o tome piše u knjizi Moj život, jednoj od najljepših i najsadržajnijih biografija koje sam pročitao — doista će biti i ostati njemačka književnost. Sve njegovo bilo je u literaturi. I još ponešto u privatnome životu.

Reich-Ranicki romantični je mizantrop. U stanju je narugati se sa svakom ljudskom slabošću i nabijeđenom vrlinom, nemilosrdan je prema nedoraslim i nedovršenim ljudima i prema slabim piscima, a onda i prema sebi — recimo, lako će, gotovo anegdotalno, pisati o tome kako je u Varšavskome getu džentlmenski platio jedan abortus, ali se na toj zastrašujuće hladnoj naruganosti, ispod toga doista superiornog cereka genija i intelektualnog pravednika, tim jače ocrtava svaka ljepota. Ljubavna priča iz geta, s Tosjom s kojom će ostati do kraja života, započinje jednim njezinim darom. Našla je negdje, i za njega rukom prepisala i svojeručno ilustrirala knjigu pjesama Ericha Kästnera, onoga divnog Kästnera, autora dječjeg klasika Emil i detektivi. Tog pisca, koji je malen među gigantima njemačke književnosti, ali čija veličina jest u toj prostodušnoj malenosti i u intelektualnoj čestitosti, Reich-Ranicki se usuđuje voljeti, i vrlo precizno i jasno objašnjava zašto mu je Kästner važan, važniji od mnogih giganata. Reich-Ranicki to može, jer su njegova načela jasna. Kada ga nazivaju papom njemačke književne kritike, to osim što djeluje kao zgodan džingl na omladinskom krugovalu, pogađa bit: književna kritika istovremeno je moralna i književna disciplina.

U njegovoj katehezi važno je, recimo, i ovo: »literatura sme da bude zabavna — i treba da bude«. S visine, ali zbiljske visine, gleda on na dosadne i pretenciozne, da bi se zatim spustio do razina sentimentalne i namjenske lirike, i u njih nalazio dar, smisao i razlog za književnost. Pritom, on niti je ekscentrik, a još manje ekshibicionist. Reich-Ranicki samo je čitatelj, možda savršeni čitatelj, koji svakome književnom djelu nastoji prići iz njega samog, pa ga čitati onako kako je doista napisano, a ne iz perspektive svejedno koje književne teorije ili mode, ili — kako to naši književni slaboumnici često čine — zamjerajući piscu što u svoje djelo nije udjenuo nešto što njima fali, pa pišu o nečemu čega u knjizi zapravo i nema.

»Ako bih sa dva imena trebalo da nagovestim šta shvatam kao nemstvo u našem veku, onda ne oklevajući odgovaram: Nemačka — to su u mojim očima Adolf Hitler i Tomas Man. Još uvek ta dva imena simbolizuju dve strane, dve mogućnosti nemstva. A imalo bi pustošne posledice ako bi Nemačka poželela da zaboravi ili potisne ma i jednu od tih dveju mogućnosti.« Marcel Reich-Ranicki Njemačku gleda istim očima kojim ju je gledao i 1938. kada su ga protjerivali, i 1940, iz perspektive Varšavskoga geta, i pet godina kasnije, kada je ta zemlja bila na koljenima. On umije biti nevoljen, umije precizno čitati znakove vremena, pa piše o svome užasu kada se na prijemu u čast knjige o Hitleru Joachima Festa zatekne u društvu ratnoga zločinca Alberta Speera, o užasu pred činjenicom da je društvo — i neki njemu bliski ljudi — impresionirano monstrumom. Marcel Reich-Ranicki živio je u zemlji svojih krvnika, samo zato što je to zemlja njegove književnosti. Doista, mogu li se sjetiti čovjeka koji je na takav način svoj život posvetio književnosti i sveo ga na književnost? Eto, možda mi je i zato bilo tako stalo da ova knjiga izađe i u Hrvatskoj.

Ali ovo više ne pišem da bih nekoga nagovarao. Knjiga Moj život teško se više može naći i u beogradskim knjižarama. Tamo je rasprodana. Oni koji žive u njemačkome jeziku, sigurno su je već pročitali u originalu. Ali njima ionako nije upućena ova moja priča, niti je imaju razloga čitati. Njome iz svoga malog, pred književnošću zanijemjelog jezika (u zagrebačkim novinama više ne postoji književna kritika), šaljem tek ponizan pozdrav Marcelu Reich-Ranickom. Nije važno što moj glas neće do njega stići. Ionako se svi iskreni pozdravi šalju zbog sebe, a ne zbog pozdravljenih.

# Thomas Bernhard i malograđanska ljubav prema hrvatstvu

Godinama već jedan zagrebački izdavač objavljuje prijevode djela Thomasa Bernharda, austrijskoga dramatičara i prozaista. Još za života, a umro je 1989, pisac je postao europska književna ikona, da bi u posljednjih petnaestak godina, ustvari od početka novih balkanskih ratova, Bernhard bio jedna od jačih i citiranijih referenci hrvatskih i srpskih intelektualaca. Jedni su ga zazivali iz poetičkih razloga, drugi iz ideoloških, a treći i najbrojniji iz razloga vlastite mimikrije, skrivanja i pretvaranja.

Zimus smo tako mogli vidjeti, ako smo putovali prema istoku, jednu produkciju Jugoslovenskoga dramskog pozorišta iz Beograda po Bernhardovom komadu, s velikim Branislavom Lečićem u glavnoj ulozi, koja brutalno i bespoštedno izvrgava ruglu društveno licemjerje i potisnuti i slabo prikriveni austrijski neonacizam otprije tridesetak godina, točnije iz vremena pred otkriće sramotne vojne karijere Kurta Waldheima. Bilo je mučno i zbunjujuće, pogotovu na gostovanju u Sarajevu, gledati tu inscenaciju. Koliko god netko mislio da je kritika jednog fašizma zapravo kritika svakoga fašizma, a obračun s austrijskom malograđanskom sviješću istovremeno i obračun s onom sviješću koja je proizvela Vukovar i Srebrenicu, jer zaboga Bernhard je pisac univerzalnih poruka i europskoga značaja, istina je, na žalost, u našem svijetu posve drukčija. Kao što su i fašisti uvijek negdje drugdje, recimo u Austriji.

Bernhardove proze u poetičkome smislu nisu pretjerano inovativne. Ono što ih najjače obilježava jest da je svaki roman napisan u jednome odlomku, bez novoga reda. Bernhardov stil je tvrd i izrazito funkcionalan, barem u hrvatskim prijevodima, bez ukrasa i imalo zaigranosti, tako da u prvi mah i nije jasno na što zapravo misle i za što se vezuju hrvatski i srpski kritičari, te pokoji pisac, kada se pozivaju na Bernharda. Jest, koliko god njegova proza bila redundantna, ispunjena publicistički formuliranim obračunima, koliko god ona prikazivala jedan duhovno sasvim opustošen svijet, Bernhard je ipak genije. Stoga i čudi zašto ga Srbi, a pogotovu Hrvati, zadnjih godina toliko prevode i koriste se njime, kada je sve, ili gotovo sve, što on piše protivno našim načelima i pogledima na svijet, svejedno pripadamo li nacionalnoj ljevici ili nacionalnoj desnici.

Bernhard je pisac opsesioniran s nekoliko tema, i jedne, najviše dvije emocije. Sva je njegova proza obilježena tugom (ili rezignacijom) i mržnjom. Čak i kada to ne bi htio, kada mu je nešto drugo tema, on mora reći, bez stilizacije, skrivanja ili umivanja, koliko mrzi Salzburg, Beč i Austriju. U svakome stanovniku Mozartova grada, osim onih koji su duboko unesrećeni ili se spremaju skočiti sa stijene u smrt, leži jedan opasni i sveokupljajući nacist. A između nacionalsocijalizma i austrijskoga katoličanstva, po Thomasu Bernhardu, zapravo nikakve razlike nema, ili je razlika samo u pjesmama koje nacisti i katolici pjevaju na svojim proslavama. On insistira na nepopravljivosti takvoga stanja i u tome je, iz knjige u knjigu i iz drame u dramu, krajnje surov, pa i sirov. Ili kako bi to rekao njegov sunarodnjak i bliski supatnik iz prošlosti Ludwig Wittgenstein: sve što se uopće može reći, može se reći jasno. Posve konzekventno svojem umjetničkom i idejnom prosedeu, Bernhard je zabranio da se njegove drame izvode u Austriji. Ne bi bilo loše da se u toj svojoj zabrani sjetio Srbije, Hrvatske...

Bernhard je zaslužan što se Austrija od samoproglašene žrtve Hitlerove okupacije, u kojoj se 1945. insistiralo i na tome da se, zbog razlikovanja od Nijemaca, jezik naziva austrijskim imenom, u sedamdesetima i osamdesetima počela percipirati kao sudionik i najbliži suradnik Hitlerova zločinačkog projekta. Njemu je užasno išlo na živce i mrzio je iz dna duše to perfidno austrijsko insistiranje na vlastitoj ulozi žrtve, te činjenica da se na nju najčešće pozivaju oni koji su u dubini duše nacisti.

Ali kao austrijski patriot, koji je svojoj domovini posvetio i ostavio veličanstveno književno djelo, on se, zabranjujući izvođenje svojih komada, nije sjetio Srba i Hrvata. Bilo mu je svejedno, ili mu tako nešto nikada ne bi palo na um, da bi u tih naroda baš njegovo djelo moglo postati agens ili simptom društvenoga licemjerja i malograđanskoga imaginiranja domovine kao najljepšega majčinskog gnijezda, po kojemu se nipošto ne smije vršiti velika i mala nužda. Ako nam je do toga, budimo kosmopoliti i rasteretimo svoja crijeva po Austriji tako što ćemo slaviti Thomasa Bernharda. Ne daj Bože da bismo o nekome našem gradu pisali kao on o Salzburgu. Onoga koji bi tako nešto i pomislio, protjerali bismo iz svojega društva upravo svojom licemjernom i pokvarenom šutnjom, dakle upravo onim u čemu Bernhard vidi klicu narastajućega nacionalsocijalizma.

Neki dan je, navodno, cijeli maksimirski stadion pozdravljao svoga pjevača ustaškim pozdravom, nakon čega su desničari hvalili pjevačevu snošljivost, kršćansku i domoljubnu karizmu, te su ga dnevno-novinski beatificirali, dok su se ljevičari grozili nad njime kao nad fašistom koji nas pred svijetom izvrgava ruglu. I jedni i drugi Thompsona su iskoristili za neke svoje potrebe, ne izlažući se riziku da zbog njegovih ideja predaju pogibelji vlastitu stražnjicu. Ako je biti za Thompsona mjera domoljublja i hrvatskoga katolištva, a biti protiv njega mjera hrvatskoga antifašizma, tada je pjevač samo alibi onima koji nisu ni domoljubi, ni katolici, ni antifašisti, ali im je on zgodno poslužio da se bezbolno deklariraju. Kao što i veliki, mračni i mržnjom ispunjeni Thomas Bernhard u Hrvatskoj i Srbiji služi istoj svrsi. Bitna i nepremostiva je razlika u tome što je Bernhard u svojoj domovini služio i mrtav služi nečemu suprotnom nego Thompson Hrvatskoj: da nije volio Salzburg, Beč i Austriju, ne bi ih toliko ni mrzio, niti bi ih svojom gorčinom liječio od umišljaja da su ikada bili ičije žrtve, dakle od umišljaja od kojega počinje svaki fašizam.

Sloboda, vjerojatno, počinje onda kada smo u stanju žrtvu vidjeti u drugome, a krivca u sebi. Međutim, prije te točke ne živimo nužno u neslobodi, nego u svome malograđanskom miru. Zato je tako licemjerno gledati u hrvatskim izlozima Thomasa Bernharda i slušati kako o njemu lijeposlove ljudi koji bi, ali svi od reda!, zbog istih tema iščupali jezik svakome tko bi u Hrvatskoj izgovorio ili napisao pokoju bernhardovsku. Mogli bismo imati veće simpatije prema onim jednojajčanim katoličkim ajetolasima u Poljskoj, pod čijom su vlašću Goethe i Dostojevski izbačeni iz školske lektire, nego prema licemjerju vlastitih kulturnih elita, koje hrvatsko gnijezdo smatraju tako divno čistim, premda je svako gnijezdo načinjeno i od govana.

(2007.)

# Max Frisch,
# može li desničar biti apatrid

Iste te 1966, kad nam je naraštaj stizao na svijet, švicarski pisac Max Frisch ovako je pisao: »Jedan mali narod gospodara oseća se ugrožen: pozvao je radnu snagu, a dolaze ljudi.« Izgovorio je to u jednome novinskom intervjuu, a zatim zapisao u »Dnevniku 1966. — 1971.« (prijevod na srpski Slobodana Glumca, AED studio, Beograd 2004.) Te riječi tvore aforizam koji opisuje današnju Europu: zlokobne ili obećavajuće, zavisi od toga čujemo li ih iz manjinskoga geta ili ih čujemo kao pripadnici ozlojeđene većine, kojoj nikako nije po volji to što se ljudi iz kanala i iz podzemlja s vremenom počinju izdizati do razine glavnih gradskih ulica, ili — kao što je prizivao i obećavao jedan lijepi davni šlager — nije im pravo što ustaje to zemaljsko roblje, ti sužnji koje više ne mori glad, ali osjećaju tu neotklonjivu, ratzingerovskim kršćanima zastrašujuću i uzbunjujuću potrebu da više ne budu radna snaga, nego da budu ljudi.

Tim riječima, izgovorenim u vrijeme kada se Europa nalazila usred velikoga ekonomskog i gospodarskog uzleta, ali je još uvijek izvirivala ispod ruševina Drugoga svjetskog rata, i kada se, najprije u Švicarskoj, već javljao problem nedostatka radne snage, ili tačnije rečeno, problem da je unutar zajednice nemoguće pronaći ljude koji bi obavljali najteže i najprljavije poslove, Max Frisch je opisivao ono što će se u budućnosti tek događati i što će Europljane skandalizirati na način na koji ih je prethodno skandalizirala potreba koloniziranih Indijaca i Afrikanaca da imaju svoja ljudska, vjerska i nacionalna prava. Kada se danas, u ljeto 2011, dok se bogati Europljani i Amerikanci ne žele u korist društvene zajednice odreći dijela svoga bogatstva, što onda proizvodi uzastopne ekonomske krize, sustavne slomove, nalik nizu malih moždanih udara, koji rastaču i sklerotiziraju cjelokupnu zapadnu civilizaciju, koja se zatim više i ne sjeća iz kakvih je pretpostavki nastajala i na što se od 1945. pozivala; kada se danas, u ljeto Andersa Behringa Breivika, vraćamo Frischovoj fatalnoj razlici između radne snage i ljudi, ili njegove riječi citiramo na neprijateljskom jeziku, jer na ovaj jezik nikada nisu ni prevedene, nalazimo se pred čudom, opasnim, neugodnim i zlokobnim čudom i činjenicom da je ta razlika za današnje europske političare još uvijek sasvim mutna i nejasna. Jer što, zapravo, hoće ti Turci u Njemačkoj, što hoće ti francuski Arapi i holandski muslimani (zar im nije dovoljno što su u Holandiju donijeli tulipan i što Europa taj cvijet zove imenom koji su mu oni nadjenuli?), ili ti Rumunji i te Ukrajinke, što hoće sav taj istočni narod ili ološ sa istoka, koji se prijeteći širi Europom, kao što se, još do jučer, Europom širio bauk komunizma? Na ovo je pitanje Max Frisch dao ubitačno jednostavan odgovor, koji, međutim, zvuči poput pitijskoga proročanstva, poput civilizacijske šifre koju bi trebalo razbiti i dešifrirati prije nego što nastupi sumrak Europe. Što konkretno znači ta potreba radne snage da se oljudi? Samo to da bi i oni da budu ono što jesu, pa i u onome što većini, europskoj, kršćanskoj, nacionalističkoj, najviše smeta. Upravo ti su im elementi identiteta najvažniji, jer je ključ i smisao slobode u pravu na iritantne razlike. Ono što ne iritira, nije razlika. Stoga i epidemija zabrane burki, hidžaba i općenito šamija, koja je već zahvatila Zapad, predstavlja zabranu svakoga — a ne ekstremnoga ili radikalnog — prava na razliku, a to onda znači i pokušaj da se europska radna snaga spriječi u njezinom epohalnom i revolucionarnom nastojanju da se proglasi ljudima, europskim ljudima, Europljanima...

Max Frisch prvenstveno je bio romanopisac. Dnevnici koje je vrijedno ispisivao cijeloga svog književnog života bili su prikupljanje materijala za buduće romane, koje, većinom, nikada neće ni napisati. Za razliku od Gombrowiczevih, Kafkinih, Krležinih dnevnika, Frischovi nisu stilski i žanrovski dosljedni, nisu pisani istim autorskim rukopisom, pa ni u jedinstvenome ili istom registru. Svega u njega ima: dovršenih i nedovršenih proznih komada, romanesknih skica, novinskih reportaža i članaka, kronika, aforizama, pomalo i tračeva, te upitnika, koji su nalik zabavnim testovima za razotkrivanje čovjekova karaktera, što već stotinjak godina izlaze pa stranicama novina namijenjenih razonodi i razbibrizi. Dnevnici Maxa Frischa nalik su nekom prašnjavom i natrpanom, uzbudljivom gradskom tavanu, koji nije pustošila pošast odvoza krupnog otpada. Po tome su, više slučajno nego mondeno, Frischovi dnevnici sasvim postmoderni.

Za Jugoslavije ovaj je pisac, kao ljevičar i angažirani intelektualac, bio vrlo prisutan i prevođen. Možda se u našim formativnim godinama činio i iritantno prisutnim, po knjižarskim izlozima i književnim časopisima ili u profesorskim citatima, tako da smo ga dugo izbjegavali čitati. A možda je trebao pasti komunizam i možda su kroz naše kućne biblioteke, ali i kroz naše duše i pameti, trebale protutnjati sve te književne, intelektualne i kulturne mode, pa da se obratimo takvome, zapravo sasvim neglamuroznom piscu. Njegov najpoznatiji roman »Homo Faber« sušto je remek djelo i jedna je od knjiga koje čitatelju u srednjim godinama može promijeniti pogled na život i književnost. »Recimo da mi je ime Gantenbein« nije ništa slabiji, a u nas je preveden (prevoditeljica Mignon Mihaljević) i objavljen još 1970, u jednoj lijepoj ediciji zagrebačke Zore, ali nakon toga, na žalost, nikada reizdan.

Max Frisch je fikciju pokušavao pisati bez »poze za prozu«, kao da ne priča priču, nego ona izbija iz stvarnosti, i bez iluzije o vlastitoj važnosti pripovijeda samu sebe. Svaka mu je rečenica jasna i gotovo suha, pročišćena od svega što bi moglo zbunjivati, odvoditi na krivi trag ili — ne daj Bože — simulirati književnost. Simuliranje književnosti i »umjetničkog teksta« Frisch je tako dosljedno i radikalno izbjegavao da će ga se katkad doživjeti neusporedivo manjim i nekreativnijim piscem nego što on zapravo jest. Ta njegova neukrašena proza, njezina asketska arhitektura, naizgled su u suprotnosti s neredom, bogatstvom, pa i raščupanošću njegovih dnevnika. Ali gledamo li ih u simultanitetu, nalazimo jednu logičnu, premda vrlo neobičnu, cjelinu.

Premda je osobno bio »čist«, švicarski Nijemac i arijevac (o čemu je, ne tražeći i ne očekujući takvo što, u Zürichu 1936. dobio i potvrdu, kada je namjeravao ženiti damu židovskoga podrijetla), Frisch se kroz cijelo svoje književno djelo bavio opustošenim, rastočenim, nedovršenim, nedefiniranim, skrivenim... identitetima. Kako je obitelj nakon očeve smrti doživjela financijski slom, napustio je studij književnosti, upisao je i završio arhitekturu (otac mu je bio arhitekt), i sve do svojih zrelih četrdesetih imao je arhitektonski biro, živio od crtanja i projektiranja, i kao sporednim bavio se poslom koji mu je, životno, bio glavni, pisanjem. Tek je u zrelim godinama mogao biti samo pisac. Ali teško da je zaboravljao svoje inženjersko zvanje. Uostalom, inženjer Faber glavni je lik njegova najpoznatijeg romana.

I tako, 26. lipnja 1967, nakon listanja novina, Max Frisch je zapisao: »Metamorfoza antisemitizma? — u jednodušnom izjašnjavanju za Izrael; u zamenu, Arape premeštaju u kategoriju podljudi.« Na drugome mjestu, u jednom od spomenutih dnevničkih upitnika za razbibrigu i razonodu, Max Frisch pita (koga pita? Sebe?): »Može li ideologija postati otadžbina?«, pa zatim: »Zašto nema desničara apatrida?«, i onda: »Pod pretpostavkom da ste u zavičaju omraženi: da li biste bili u stanju da zbog toga poreknete da je to vaš zavičaj?«

Nevjerojatno kako pitanja mogu čovjeka pogoditi u osjetljivo mjesto. Recimo, na posljednje bih donedavno odrično odgovarao, smatrajući da pitanje nema previše smisla, a danas je potvrdan odgovor prisutan u svakome mom zamišljanju osobne slobode. Ali važnije: doista, kako to da ne postoje apatridi desničari (osim Ciorana, koji je ionako u svemu izuzetak)? I kako je moguće da desničari, i nakon što budu prognani ili emigriraju, u svakome svinjcu umiju biti svoji na svome? Ili je to u određenju duhovnoga stanja u kojem čovjek postaje desničar: svaki smrad doživjeti kao svoj vlastiti?

Max Frisch rođen je tačno stotinu godina prije ljeta Andersa Behring Breivika. Umro je 1991, četvrtoga travnja, kada je u nas tek započinjalo nešto čime se on itekako bavio u svojim dnevnicima. Kao Švicarac, na sve je gledao pomalo sa strane, premda ga se Europa, s obje strane željezne zavjese, emocionalno i intelektualno ticala kao malo kog pisca našega doba.

# W. G. Sebald, sjećanjem protiv kiča

Za Winfrieda Georga Sebalda nije lako reći kako je umro, je li poginuo ili je umro prirodnom smrću. Stradao je u prometnoj nesreći, u kojoj je ostao nepovrijeđen, ali ga je ubio srčani udar. Dogodilo se to 14. prosinca 2001. U povodu desetogodišnjice Sebaldove smrti, novosadski časopis za književnost Polja objavio je tematski broj, u kojemu su, uz niz esejističkih tekstova posvećenih piscu, tiskani i prijevodi nekih važnih, u nas neobjavljenih, njegovih radova. »Zračni rat i književnost« (u prijevodu na hrvatski Davora Beganovića) i »Već godinama« (u prijevodu na srpski Arijane Božović) najvažniji su među njima. Prvi predstavlja niz Sebaldovih predavanja, održanih kasne jeseni 1997. u Zürichu, u kojima se bavio kriptičnom, dvostruko zabranjenom, temom njemačke književnosti i kulture: apokaliptičnim savezničkim bombardiranjima njemačkih gradova s kraja Drugoga svjetskog rata. Drugi rad, posve različit, dvadeset tri su pjesničke minijature, tiskane kao zasebna knjižica, nakon piščeve smrti.

»Zračni rat i književnost« literarna je, intelektualna i emocionalna šetnja kroz minsko polje. Sebald istodobno raspravlja o razlozima, zapravo o odsustvu razloga, britanskoga bombardiranja gradova koji nisu mogli biti vojni ciljevi, uništenja civilnoga stanovništva i spaljivanja Dresdena nakon što je rat praktično već bio završen, te o neobičnoj činjenici da se o tome u Njemačkoj desetljećima šutjelo, ne samo u književnosti, fikcionalnoj ili dokumentarnoj, nego i u privatnome i obiteljskom životu. O književnoj šutnji on piše skoro s prezirom, jer ukoliko se izbjegavaju osjetljive i traumatične društvene teme, kakva je uopće svrha književnosti? Šutnju običnoga svijeta, tu njemačku ogluhu prema vlastitome stradanju, tumači na jednostavan, ali ubitačan način: šutjelo se o bombardiranju da bi se moglo šutjeti o onome što je prethodilo. Na kraju, sjećanja koja su time izbrisana zamijenio je kič, živahne, ali lažne reminiscencije na prošlost, koje čovjeka, veli Sebald, ispunjavaju nelagodom: »To je prekrasni svijet naših brda, oko koje bezbrižno počiva na ljepoti domovine, sveto slavljenje Isusa, ovčarski pas Alf koji se raduje kada ga gospodarica Dorle Breitschneider izvodi u šetnju; izvještava se o našem tadašnjem životu i osjećajima, o lijepom susretu uz kavu i kolače, često se spominje baka koja radi u vrtu i u dvorištu, a čuje se i o različitoj gospodi koja su došla na objed i na ugodno druženje; Karl je u Africi, Fritz na Istoku, dječačić skače gološav po vrtu; misli su nam sada prije svega s vojnicima kod Staljingrada; baka piše iz Fallingbostela da je tata poginuo u Rusiji; nadamo se da će njemačke granice izdržati stepski potop; nabavka je hrane sada u prvom planu; mama i Hiltrud smještene su kod jednog pekara i tako dalje i tako dalje.«

Ta poplava lažnih sjećanja, taj ljupki porodični i građanski kič, kakav, uostalom, poznajemo i sami, istina u ponešto neotesanijoj varijanti, u purgerskim pričama o starome Zagrebu i njegovome savršenom ideološkom dezangažmanu, zamjenjuje nešto čega se cijela nacija ne želi sjećati. Govoreći o takvom duhovnom stanju Sebald je izazvao golem bijes malograđanske većine, premda je od rata već prošla pedeset i koja godina. Pisali su mu privatna pisma, reagirali po novinama, redom govoreći da Sebald laže, da je neinformiran, da nije pročitao ovu ili onu knjigu, da već dugo živi u Velikoj Britaniji pa ne zna ili je zaboravio... Naravno, »Zračni rat i književnost« nije s nekim veseljem i oduševljenjem dočekan ni s druge strane nekadašnje fronte, kojoj je rasprava o razložnosti savezničkog bombardiranja njemačkih gradova djelovala poput opasnoga povijesnog revizionizma. Tako to biva kada ozbiljan pisac piše o nečemu što je važno. A ozbiljni pisci i pišu samo o onome što je važno.

Dvadeset tri »mikropjesme«, koje uz dvadeset tri postminimalističke slike britanske umjetnice Tess Jaray čine knjigu »Već godinama«, pokušaj su ostvarenja jedne sasvim sebaldovske ambicije: s najmanje riječi i s najmanje pjesničkih sredstava, a bez velikih misli, ideja i slika, bez ijedne eksplicirane emocije, opisati svijet i proizvesti emocionalni udar. Evo, kako to izgleda, od naslova pa do kraja: »SEDAM GODINA u tuđini & / psi / više / ne laju«.

Krivo biste mogli pomisliti da je to haiku. Osim što nije u metru i ritmu haikua, osim što to nije uokvirena sličica na bijelome zidu, tema ove pjesme nije nimalo egzotična, dalekoistočna. Ona govori o nečemu čime se, recimo, bavi »Roman o Londonu« Miloša Crnjanskog i čemu je posvećena cijela jedna golema europska i američka književnost. Pjesma »Sedam godina« je priča o egzilu i emigraciji, o iskorijenjenosti, odabranom ili sudbinskom životu u tuđini. I što se na kraju dogodi: prođe sedam godina u tuđini, i psi više ne laju. Ove riječi, koje jedva da čine jedan cijeli stih, koji, opet, čini cijeli cjelcati roman, mogu se čitati na više načina. Nakon što odživi tih sedam godina, kaže jedno tumačenje, tako se odomaći da se i psi na njega naviknu, pa prestanu lajati. No, ovo tumačenje ima smisla samo ako na umu imamo i drugo: prođe u tuđini sedam godina i čovjek se toliko raščovječi, izblijedi poput fotokopije ili telefaks papira, da i psima postane nevidljiv, pa ni oni više ne laju. Ali kada bi se radilo samo o ova dva tumačenja, ne bi ovo bila vrijedna pjesma, niti bi je Sebald napisao. Nakon što čovjek sedam godina živi u tuđini, domoroci se na njega naviknu, pa prestanu poput pasa lajati za njim. U sređenome društvu, pogotovu u multikulturalnim zajednicama zapadne Europe, tako to biva. Ali nije li i to samo preduvjerenje, gatka i poslovica uz koju je lakše živjeti u tuđini? Nakon što prođe sedam godina, čovjek će započeti novo čekanje, još sedam godina, jer sedam godina u tuđini i psi više ne laju. No, nije ni tu kraj mogućim tumačenjima. Slijedi ono najstrašnije, u kojemu je bit egzila i Sebaldove melankolije: nakon što provede sedam godina u tuđini, čovjek zaboravi i kako laju psi, jer ih u tuđini ne umije čuti.

Ili još jedna, koju moram prepisati, da ju i na ovom mjestu pročitam: »OSEĆANJA SU dragi moj / pisao je Šuman / zvezde / koje nas vode / samo pod / mračnim nebom« Za razliku od prethodne, ovu ne treba tumačiti, osim što jedno vrijedi reći: ako je citat doista Schumannov i ako ništa u njegovim riječima Sebald nije izmijenio, nego ih je samo izdvojio i izlomio, riječ po riječ, to je savršena pjesma. U njoj tada nema nijedne pjesnikove, nijedne suvišne riječi.

W. G. Sebald je od onih općinjavajućih pisaca za koje čitatelj nije u stanju tačno reći čime ga zapravo tako općine. U »Austerlitzu«, u »Saturnovim prstenima«, u »Emigrantima« on se kreće prostorima koje ne poznajemo, među ljudima s kojima, uglavnom, nemamo ništa zajedničko, ne ispisuje fabule ili velike misli i ideje, ali on priča isključivo o onome što je važno, u životu jednoga čovjeka, društvene zajednice ili cijeloga svijeta. Sebald pripovijeda mirno, sporo i skoro monotono, ali njegove rečenice su veličanstvene i svečane. Čitatelj je uvučen u priču, u kojoj sudjeluje kao u nekom vjerskom ceremonijalu.

Ono što začuđujuće u hrvatskoj i srpskoj recepciji W. G. Sebalda, što čitatelja zbuni, dok se po novinama i novinskim intervjuima sreće sa svim tim izljevima oduševljenja među našim čitateljskim masama, uglavnom sačinjenim od članstva mjesnih književnih društava i zborova, jest pitanje kako se mogu tako oduševljavati, kako im se Sebaldovi tekstovi mogu toliko sviđati, kada ih inače, u njihovim životima i u tekstovima, u oporukama s kojima ispraćaju sebe same, nimalo ne zanima sve ono što zanima Sebalda, i kada bi najradije zatukli svakoga iz vlastite okoline tko pokaže neke sebaldovske interese. Zapravo, navlas isto pitanje kao i pri hrvatskoj, srpskoj, bosanskoj recepciji Thomasa Bernharda: kako to vlastiti sitni nacionalizam, kič osjećajnost i suosjećanje za vlastite boli i jade naši ljudi mire s onim o čemu ti pisci pišu? Bit će da ih čitaju kao što su klinci nekada čitali Winnetoua. Možda su Bernhard i Sebald za njih danas ono što je pred Drugi svjetski rat bio Karl May, omiljeni prozni pisac dječaka koji su odrastali po Trešnjevki, Bistriku i Čuburi, omiljeni prozni pisac Adolfa Hitlera.

# Alek Popov, smijeh s istoka

Da je Ante Tomić pisac iz ponešto ozbiljnije, a bogme i nemjerljivo kulturnije i književnije zemlje, pa da su ga poslali za kulturnoga atašea u London, gdje bi mu se, nakon Smiljeva i Poskokove Drage, otvorila globalna perspektiva njegove lokalne i lokalističke poetike, napisao bi svoj svakako najvažniji roman. Alek Popov (1966) imao je sreće što se rodio kao Bugarin, pa ga je i poslalo u London, i to za kulturnoga atašea, ali se nije dugo zadržao, upravo toliko da sakupi dovoljno motiva i materijala, a zatim i da napiše taj najvažniji Tomićev roman. I sreća da je ispalo tako, jer da je Ante Tomić tako strašno, nepatriotski i samomrzilački, u mrakobijesima svoga izdajničkog uma, ismijao Hrvatsku, te sve hrvatske nacionalne i kulturne svetinje, stuštili bi se na njega ivkošići i makovići, kuka i motika, srp i čekić, hvidra i jindra, i ne bi bilo seoskoga župnika, niti partijskoga sekretara, koji na glavu proložačkog klauna i virtuoza ne bi usred nedjeljne propovijedi izlio vrčinu svojih domoljubnih govana. Ali kada je Alek Popov Misiju London napisao i uputio Bugarima, dočekan je u domovini s ovacijama književne kritike, koja je u knjizi prepoznala veliki europski roman, ali i čitateljske publike koja je Popova dočekala taman onako kako u Hrvatskoj dočekuje Antu Tomića. Samo što se Bugari pred svojim estetskim procjeniteljima, te pred aralicama i šnajderima, akademicima i sinekurcima, ne moraju osjećati krivim što vole dobru književnosti, ili što vjeruju da dobra književnost može biti i urnebesno smiješna.

Aleka Popova u Srbiji sustavno izdaju (zahvaljujući izvanrednim prevoditeljima, pjesniku Velimiru Kostovu i Mariji-Joanni Stojadinović), pa je i Misija London objavljena još 2004. U Hrvatskoj se, prije nekoliko dana, u izdanju Meandra, pojavila prva Popovljeva knjiga, i to odmah taj famozni, urnebesno duhoviti, nedomoljubni roman. Sreća, pa je dobar slučaj hrvatsku kulturu i književnost častio jednom literarno darovitom i duhovitom prevoditeljicom s bugarskog jezika, rođenjem Novotravničankom, Ksenijom Banović (ex Marković), koja je Misiju London prevela na način koji, povremeno, djeluje virtuozno, pa nam se učini da doista čitamo Antu Tomića.

Čemu onda ovoliko spominjanje Tomića i navlačenje novoga bijesa domaće novinske i književne halaše? Dva su razloga: taj bijes katkad godi kao reumatičaru blato, ali važnije je, ipak, to što je Popov šokantno sličan pisac i što bi se, doista, jednog autora moglo objasniti preko drugog, a to je, opet, sasvim izniman slučaj kada je suvremena hrvatska književnost u pitanju. Krenimo od humora: i u Popova je, kao i u njegova proložačkog kolege, zasnovan na socijalnom gegu i vicu, na hipertrofiranju mentalitetnih karakteristika i nizanju pomaknutih stereotipa, dakle, na onome što će oni koji ne razlikuju književnost od loptanja nazvati humorom na prvu loptu. Kod obojice pisaca takav je humor samo oružje nesmiljene socijalne kritike (a drukčije nije bilo ni u Jaroslava Hašeka ili Iljfa i Petrova), koja je, opet, izvor silne zabave za čitatelja. Ali ni Tomić, kao ni Popov, ne pišu laku ili zabavnu književnost, što će i glupan shvatiti ako se pozabavi referencama unutar njihovoga proznog teksta, te značenjskim slojevima pripovjednog teksta.

Neočekivano su slični i neki njihovi estetski afiniteti. Recimo, možda ćete se sjetiti one grube, pomalo skandalozne,

Tomićeve humoreske suprotiva suvremenoj, a naročito konceptualnoj umjetnosti, kada se na Antu okomilo sve ono što si u ovoj zemlji utvara da o toj temi nešto zna. Na sličan način, samo raskošnije i uz moćniju lokalnu referencu (ipak je Popov zemljak Hriste Javaševa, čovjeka koji je planetarno poznatiji nego cijela Hrvatska, zajedno s tisućom svojih čarobnih otoka), bugarski se kolega okomio na konceptualiste i postkonceptualiste, pa je izmislio Spasa Nemirova, umjetnika koji se služi vatrom i koji, kao i svi ostali, sanja da postane Christo, a najznačajniji mu je rad spaljivanje jedne crnomorske plaže napalmom.

No, ono što Aleka Popova bitno razlikuje od Ante Tomića upravo je njegova socijalna perspektiva. Umjesto da svoj svijet smješta u neku imaginarnu bugarsku selendru ili kasabu, on izabire eksteritorijalni prostor ambasade u Londonu, čime njegovo djelovanje postaje globalno, a Misija London s razlogom biva reklamirana kao »najsmješnija knjiga tranzicije«. Pritom, Alek Popov ozbiljan je pisac, i još ozbiljniji humorist, pa mu ne pada na pamet da pokušava pisati roman po receptu i na osnovu pretpostavljenih očekivanja međunarodnoga čitateljstva. Kao i Čudo u Poskokovoj Dragi, ova je knjiga napisana za jedva nekoliko ljudi koji su bili u Poskokovoj Dragi — koliko god to selo postojalo samo u piščevoj glavi — ili u šifrantskoj sobi, u bugarskoj ambasadi u Londonu, što je, zapravo, savršeni ključ za golemu lokalnu i globalnu popularnost, za tisuće, stotine tisuća ili milijune čitatelja.

Novopostavljeni ambasador zadužen je da organizira londonski koncert bugarske estradne dive Devorine Seljanove. Ona si je, pak, utuvila u glavu da bi njezinom nastupu imala nazočiti osobno engleska kraljica. Iz te, u osnovi vrlo realistične i realne postavke, rađa se priča, čiji humor razjeda ne samo bugarske kulturne, političke i društvene stereotipe, nego i sve ono čemu postkomunistička tranzicija teži i srlja. Zapad je, u vizijama Aleka Popova, ispunjen dvojnicima i prevarantima, zombijima jednoga nakaznog svijeta, kojemu nesretnici s Istoka nastoje biti slični. Pritom, bugarska fiktivna zvijezda Devorina Seljanova manje je groteskna od zbiljskih hrvatskih zvijezda i njihove publike. Sjetite se: već je neko vrijeme, prije izbijanja krize, postojao običaj da ovdašnji estradnjaci zakupljuju dvorane slavnih imena po europskim metropolama, gdje su održavali koncerte za publiku koja bi stizala čarterima iz Zagreba. Zadnji takav nastup, upravo u Londonu, imao je Oliver Dragojević, ali je Albert Hall ostao poluprazan, jer avioni nisu letjeli zbog erupcije islandskoga vulkana. Ovu grotesku, zajedno s Oliverom, tim manekenom Lidlove smrznute ribe, nisu napisali ni Alek, ni Ante; ona je, na našu žalost, tako bolno stvarna.

Misija London sjajna je knjiga, ozbiljna, urnebesno smiješna, majstorski napisana i jednako majstorski prevedena, a za hrvatsko čitateljstvo ima i dodatnu, specifičnu, vrijednost i značaj. S jedne strane, Aleka Popova vrijedi preporučiti vrijednoj i veseloj ordiji, koju sačinjavaju desetine tisuća čitatelja Ante Tomića, dok ga, s druge strane, još srčanije i bodrije preporučamo svima koji Tomića iz dna duše preziru, ne čitaju ga, nego prisežu pred vascijelim gledateljstvom nacionalne dalekovidnice kako im nimalo nije smiješno to što on piše. Sada će se, zahvaljujući Meandru, i takvi moći opustiti i slobodno se smijati dobroj prozi. Bit će to veliki događaj za hrvatsku kulturu i književnost, većem se ne možemo nadati. Iako ovdašnji domoljubi od stoljeća sedmog naginju zapadu i zapadnjacima se osjećaju u svakome svom nedoučenom i nedarovitom preziru, svi njihovi prosvjetitelji stizali su s istoka. Od Ćirila i Metoda, preko Kusturice i Andrića, sve do Aleka Popova.

# Haruki Murakami, ubod šilom u zatiljak

Haruki Murakami svjetski je pisac, što je u njegovome slučaju prokletstvo, a ne kompliment. Dok drugi imaju svoje male domovine, svoje zavičaje i gradove (ah, ta urbana proza...), sela, zgrade i kvartove, u kojima žive, i iz kojih pišu, stvarajući vlastitu mitologiju na osnovu onoga što su vidjeli, čuli ili pročitali, i naseljavajući u svoje male svjetove neku univerzalnu i planetarnu kulturu, Murakamijeva književna postojbina cijeli je svijet, Amerika i Euro-Azija, viđeni i prihvaćeni iz perspektive Japanca i japanskoga jezika. Katkad takav pogled djeluje moćno (kao u romanu »Kafka na žalu«, objavljenom u nas u izdanju naklade Vuković&Runjić), a nekad čitatelj ima mučan dojam da uranja u dosadnu, premda fanatizirano dosljednu, imitaciju zapadnoga svijeta, zapadnjačkoga načina razmišljanja, zapadnjačkih formi i sadržaja. Dojam je tim mučniji što je Murakami fascinantan pripovjedač, valjda jedan od najboljih koji su u naše doba pripovijedali, koji bez imalo muke, lako i sigurno, može ispričati sve, i može to činiti dugo i bez prestanka, iz romana u roman, u jednome zastrašujućem, neprekinutom nizu, koji do paroksizma dovodi to pitanje, postavljeno već na prvim stranicama: zašto taj golemi, daroviti i spremni pisac ima takvu potrebu da ne bude ono što jest, dakle da ne bude Japanac, i zašto mu je toliko stalo da priča priču koja je, ako se to smije tako reći, izvan iskustva njegova jezika? Ali zašto ne bi moglo i tako? Svaki pripovjedač ionako pripovijeda i gradi nove svjetove jer mu u onome jednom i jedinom nešto nedostaje, jer je samome sebi nedovoljan i nesavršen, jer je kripl i mentalni ili emocionalni invalid. Ne pripovijeda onaj kojemu ne fali ništa ili koji ima sve od toga stvarnoga i živog svijeta. Možda je Murakamijev razlog za priču upravo taj što jednom davno nije bio zadovoljan što se rodio kao Japanac, a ne kao Amerikanac, saksofonist, crni džezist iz New Orleansa.

Trotomni roman »1Q84« objavio je na japanskome prije malo više od godine dana. Beogradski izdavač Geopoetika objavio je u prosincu 2010. srpsko izdanje, u odličnome, sjajno redigiranom i pažljivo dovršenom prijevodu s japanskoga Nataše Tomić. Prema neobičnome ugovoru, na kojemu je Murakami insistirao, objavljena su prva dva toma, dok će treći izaći devet mjeseci kasnije. Drugi je nastavak prekinut u trenutku dramaturškoga vrhunca, poput neke starinske televizijske serije ili stripa u nastavcima, i u tom čekanju, zapravo, ima nekog smisla, iako se čitatelju učini kako iza svega stoji pomalo zastrašujuća autorska samouvjerenost. Haruki Murakami očito vjeruje kako će čitatelj mjesecima razmišljati o njegovome romanu, preslagivati pripovjedne razine, adoptirati likove i njihove motive, istraživati kulturološke aluzije i reference (kojih je, kao i uvijek, obilje), i sve vrijeme čekati treći nastavak. Između ostaloga, otići će i u prodavaonicu diskova s klasičnom glazbom, da čuje soundtrack s kojim počinje, a zatim dugo i teče ovaj golemi roman.

Riječ je o najpoznatijem orkestralnom djelu Leoša Janačeka, Sinfonietti, koju je skladao kada je već navršio sedamdesetu, u vrijeme svoje druge mladosti, kada se zaljubio u trideset osam godina mlađu ženu, i u toj ljubavi dosegnuo svoje kreativne vrhunce. Sama Sinfonietta začudno je slušljiv, izvanvremenski i izvanžanrovski, glazbeni komad, u kojemu se, kao, recimo, u Mahlerovim simfonijama, jasno čuje i raspoznaje duh epohe. Ali nije to Murakamija — staroga džezerskog frika, koji je prije književne karijere držao privatni džez klub — privuklo Janačekovoj glazbi, niti se »1Q84« bavi godinama art decoa. Do Sinfoniette je došao preko Milana Kundere, jednoga od pisaca kojima je otvoreno fasciniran, i njegovoga eseja o Leošu Janačeku. I onda je tu kompoziciju, koja savršeno funkcionalno djeluje u romanesknoj pripovijesti, upotrijebio, pa je još i ispratio s nekom vrstom esejističkoga ekskursa, koji čitatelj skoro i ne osjeti — hoću reći da mu se svojom težinom ne navali na kosti, kao što se to obično dogodi s tematskim esejiziranjima u proznim tekstovima manje vještih pisaca — i koji nimalo ne ometa ritam priče.

A priča je ludo fascinantna, i teče u dva paralelna toka, koji će se u jednome času sudariti i ukrstiti. Jedan tok prati ženu po imenu Aomame, drugi muškarca Tenga. On je neuspješan pisac, ili pisac koji tek treba napisati svoje prvo pravo djelo, ali se ne zna hoće li mu to ikada uspjeti, i dobio je zadatak od urednika u jednoj izdavačkoj kući da popravi, ili nanovo napiše, roman koji je napisala jedna pomalo autistična tinejdžerka. Aomame je osamljenica, koja kao ni Tengo, nije uspjela u životu, nema muža i obitelj, a svoje povremene seksualne potrebe rješava tako što ode u neki bolji ili popularniji klub, gdje svraćaju poslovni muškarci pri povratku s posla, i onda čeka onoga koji će se upecati. Voli ćelave, lijepoga oblika glave.

To je, dakle, početak. U nastavku slijedi fascinantan roman, u kojemu se, na tipičnoj murakamijevskoj hiperrealističnoj osnovici, odvija filozofska bajka, ustrojena kao triler s elementima fantastike, ili barem nagovještaja fantastike. Pritom, čitatelju se učini, i to ne jednom, i ne samo u pojedinom pasažu ili poglavlju knjige, da je Murakami »1Q84« pisao nakon što je pročitao trilogiju Stiega Larssona. Možda umišljam, možda se radi samo o čitateljskoj, a ne i spisateljskoj perspektivi, ali povremeno mi se čini kako čitam razrađenu, literarno virtuoznu i visokostiliziranu džez interpretaciju preuzete teme.

Premda je grehota prepričavati radnju (To ima smisla činiti samo s knjigama pisaca kojima pripovijedanje nije najvažnije, ili s knjigama pisaca koji uopće ne umiju pripovijedati. Hm, ali zašto bi čovjek i prepričavao knjige loših pisaca?), ne mogu se suzdržati, a da ne ispričam jednu od uvodnih epizoda, i da ne otkrijem Aomameinu tajnu i njezinu veličanstvenu i zastrašujuću vještinu.

Na samome početku našla se na lažnome poslovnom sastanku s jednim grubim i osornim tipom, biznismenom koji je palicom za golf svojoj ženi polomio rebra, i dok su tako razgovarali, rekla mu je da na zatiljku ima trag nekakve zelene boje, pa želi li da mu ona to očisti. Čovjek nije ništa posumnjao, a i zašto bi, niti je osjetio kada mu je Aomame u tu jednu meku tačku na zatiljku lakim pokretom zabola specijalno izrađeno, vrlo tanko šilo, i zatim ga izvukla, pazeći da ne iscuri nijedna kap krvi. Tako je usmrtila nasilnika, tako kažnjava muškarce koji prema ženama koriste svoju fizičku snagu i nadmoć. Opasna, zagonetna i fatalna — zastrašujućeg izraza lica kada se namršti, pa se zato izbjegava mrštiti — Aomame je suptilno izveden lik bogomoljke koja ubije mužjaka, snažno seksualno nabijen, i nimalo lažan ili izvještačen. Da se uplašiš za tu svoju tačku na zatiljku.

»1Q84« je, uz »Kafku na žalu«, najbolja Murakamijeva knjiga (naravno, od onih koje su prevedene). U njoj je pokazano i kakva se polifonija može uspostaviti u romanu koji bi se mogao definirati kao primjerak žanrovske književnosti, i koji će se prodavati po aerodromima i supermarketima, i čitati u vlakovima i na ljetnim plažama. Sve je u njemu jednostavno, i zapravo ništa nije jednostavno. Sinfonietta (kad smo ju već spomenuli) u ovoj je priči silno važna, ali se priča jednako da čitati i do određene razine razumjeti i ako o Sinfonietti nemate pojma. Za neke slojeve romana čitatelj je slijep i gluh, neki su, mora tako biti, izgubljeni u prijevodu, ali ono što ostaje tako je fascinantno da čovjeku ne pada na pamet dalje raspravljati o Murakamiju i njegovome japanstvu, i o tome kako bi taj čovjek zapravo htio biti Amerikanac ili Europljanin.

Na žalost, ovu knjigu, kao ni druge knjige iz Srbije, više ne možete naručiti u knjižari Prosvjete, na Cvjetnome trgu, jer ta knjižara od neki dan ne postoji. Ubio ju neki neprosvijećen svijet. Bog da joj dušu prosti. Pokojnoj knjižari.

# Tony Judt, Europljanin u kavezu

Lani je, početkom godine, u jednome od sjajnih subotnjih brojeva ljubljanskoga Dnevnika, objavljen razgovor s povjesničarom poslijeratne Europe Tonyjem Judtom. S fotografija, objavljenih uz intervju, gledalo nas je izmučeno lice čovjeka s maskom za kisik. Te slike bile su u savršenoj opreci s tekstom: uman, intelektualno raskošan, upućen u tegobe tranzicije, istinski zainteresiran za sudbinu istočne Europe, čovjek iz teksta djelovao je vitalno i moćno. Za razliku od onoga sa slike, koji je upravo umirao. I jedan i drugi bio je tog časa Tony Judt.

U to vrijeme ostalo mu je još nekoliko mjeseci života, pa je užurbano radio na svojim memoarima, knjizi koja će, u izdanju Penguina, izaći malo nakon piščeve smrti, s naslovom »The Memory Chalet«. Kako je bolovao od amiotrofične lateralne skleroze, što je vrlo podrobno opisao u prvome poglavlju svojih memoara, ali na zanimljiv način udjenuo u i samu poetiku svojih sjećanja, Judt je u to vrijeme već bio tetraplegičar, pa je knjigu diktirao. Neurodegenerativni poremećaj od kojega je bolovao nije mu oduzeo samo moć kretanja, nego je postepeno urušavao i putove koji vode od misli ka riječima. Na kraju, kako piše, tijelo će mu, pred smrt, postati savršeno nepropusan kavez, u kojemu će iznutra biti sve sačuvano, ali više neće biti načina da išta od toga izađe van. Suočen s takvim, predvidljivim, krajem, Tony Judt pisao je knjigu, koja je, zapravo, bila njegov literarni početak.

Rođenjem Englez, podrijetlom Židov, profesor na Cambridgeu, nakon čega je otišao u Ameriku, predavao na New York University, gdje je bio suosnivač Remarque Instituta, koji je postao važno mjesto za europske studije. Autor je kapitalnog djela »Poslije rata, povijest Europe nakon 1945«, i jedan od onih fascinantnih, a zapravo vrlo rijetkih povjesničara, koji su u stanju sjajno meandrirati između političke i kulturne povijesti, ili iz romana i drugih književnih tekstova rekonstruirati historijske činjenice i motive. Tony Judt jednako superiorno analizira prozne tekstove i sudi o njihovoj estetskoj vrijednosti i stilskim karakteristikama, pa ga se može smatrati i proučavateljem — ili barem izvanredno upućenim čitateljem — istočnoeuropske književnosti.

Knjiga »Koliba sećanja«, kako glasi naslov u izvanrednom i pravodobnom srpskom prijevodu (izdavač Yes–Pro, Beograd 2011.), na suspregnut i krajnje sveden način obuhvaća različite Judtove životne interese. Otvoren i vrlo konfliktan, do samoljubivosti slobodan u iznošenju vlastitih stavova (po tome je srodan Hansu Küngu, njegovim memoarima »Izborena sloboda«, objavljenim i prešućenim i u Hrvatskoj), Tony Judt piše priču svoga života, koja je istovremeno svjedočanstvo o jednome vremenu, o razlikama između Velike Britanije i Europe, između Europe i Amerike, europskoga istoka i zapada. Kao ateist i bivši radikalno lijevi cionist, koji je u mladosti bivao po kibucima, objašnjava vrstu i oblik svoga židovstva, i u tom mikroeseju, na intelektualno i moralno impresivan način, on izlaže nacrt jednoga duboko promišljenog osobnog identiteta. Tony Judt kritizira američku bezrezervnu podršku Izraelu, a naročito je kritičan prema američkim Židovima: »Većina ljudi više ne govori jezik svojih predaka niti zna mnogo o zemlji porekla, naročito ako je ona u Evropi. Ali, dolazeći iza generacije koja se dičila statusom žrtve, ono malo što znaju gordo nose kao značku identiteta: ti si ono što su propatili tvoji preci. U tom nadmetanju ističu se Jevreji. Mnogi američki Jevreji žalosno malo znaju o svojoj religiji, kulturi, tradicionalnim jezicima ili istoriji. Ali, znaju o Aušvicu i to im je dovoljno.«

Politički i ideološki, Judt se vrlo jasno, na više mjesta, deklarira kao socijaldemokrat. Podsmješljiv je prema radikalnoj ljevici, Slavoja Žižeka opisuje kao brbljavoga provincijalca, prema nacionalistima i desničarima pokazuje krajnji prijezir, a naročito je zgrožen nad novim sveučilišnim praksama: »Danas studenti mogu da biraju između mnoštva studija identiteta: rodne studije, ženske studije, azijsko-pacifičke studije i na desetine drugih. Mana svih tih pseudoakademskih programa nije to što se koncentrišu na datu etničku ili geografsku manjinu, već to što podstiču članove te manjine da proučavaju sami sebe — i time negiraju ciljeve liberalnog obrazovanja i istovremeno jačaju sektaške mentalitete koje bi, deklarativno, hteli da pobiju. Odveć često smisao takvih programa je otvaranje radnih mesta za one koji ih vode i sva spoljna interesovanja se aktivno suzbijaju. Crni proučavaju crne, homoseksualci homoseksualce, i tako dalje.«

Isto je što čitatelja impresionira kod ateista Tonyja Judta i kod vjernika Hansa Künga: izborena sloboda, te intelektualna i moralna snaga da se uvijek kaže ono što se doista misli, bez obzira na svu štetu koju će čovjek zbog toga pretrpjeti. Kao da su obojica samo zato i pisali svoje memoare. Ali taj moralni efekt ne bi trebao zasjeniti ono što je, zapravo, iz naše perspektive još veće i važnije u Judtovoj knjizi: ta je proza tako sadržajna i elegantna, kao da se, najednom, svo piščevo golemo znanje i obrazovanje pretočilo i preobrazilo u čisti literarni dar. Svaka je rečenica jednostavna i razumljiva, svaka misao jasna, i svaki je događaj opisan s upravo onoliko riječi koliko je trebalo. Kada pročita »Kolibu sećanja«, njezinih jedva dvjestotinjak stranica, čitatelju ostaje unutarnji dojam da je pročitao knjigu od barem tisuću stranica.

Tony Judt bio je veliki povjesničar i mislilac, jedan od rijetkih koji su, ali stvarno, u iskustvenom i u intelektualnom smislu spajali Ameriku i Europu. Naučio je češki, da bi razumio Čehe. Komunističkim istokom pokušavao se baviti iznutra i bio je duboko zainteresiran za njegovo suočavanje s nacističkom i fašističkom prošlošću iz Drugoga svjetskog rata. U suočavanju je jedini način da ta prošlost ikada prođe. Alojzije Stepinac bio je za njega »zloglasni zagrebački nadbiskup«, što mu ovdašnji vladajući klerikalni i kleronacionalistički krugovi nikada nisu oprostili, premda ih, zapravo, nikada nije uspio zainteresirati za ono što je govorio i pisao. Tony Judt smatrao je da je hrvatsko suočenje s fašističkom prošlošću naročito teško. Svakim danom iznova se uvjeravamo da je bio u pravu: evo, recimo, neki dan, u vrijeme Parade ponosa, na splitskoj rivi...

Čitajući »Kolibu sećanja« čitatelj, međutim, ne može, a da ne žali što je Judtov ulazak u lijepu književnost došao na kraju, malo prije nego što će mu bolest oduzeti moć govora i pretakanja misli u riječi. Duhovit pisac, dobar humorist, jakoga lirskog dara, efektan pripovjedač, sve je to uspio biti u jednoj jedinoj knjizi, koja je — nakon što pisac u prvom poglavlju saopći da je smrtno bolestan — sva pisana u sadašnjem vremenu, ali tako da se i prošlost i budućnost otvaraju pred pripovjedačem, kao da je pred njim još jedan cijeli život. Zadivljujuće je kako gotovo ničega komemorativnog u ovoj knjizi nema, a tek pred kraj, u jednom od posljednjih poglavlja, vrlo diskretno, Tony Judt ispisuje jedan testamentarni odlomak: »Danac ili Italijan, Amerikanac ili Evropljanin — to neće više biti samo identitet, već i odbijanje i prekor onima koje isključuje. Država ne samo što neće nestati nego će dostići vrhunac: privilegijama državljanstva i zaštitom prava stečenih na osnovu boravišne dozvole mahaće se kao političkim adutima. Netolerantni demagozi u razvijenim demokratijama tražiće 'testove' — znanja, jezika, političkog stava — da bi odredili da li očajne pridošlice zaslužuju britanski ili holandski ili francuski 'identitet'. Oni to već čine. U ovom vrlom novom veku nedostajaće nam tolerantni, marginalci: ivični ljudi. Moj narod.«

Na kraju, u nekoliko riječi, taj čovjek s nekoliko identiteta, koji je umio do kraja života živjeti vlastitu odabranu slobodu, izgovara i za nekoga vezuje riječ narod, kao krajnje i konačno ishodište vlastitog pripadanja. Narod koji je na kraju za sebe odabrao Tony Judt je narod onih koji će ostati pred svim carinama buduće ujedinjene Europe i globaliziranog svijeta. Valja ponoviti i upamtiti, kada jednom zatreba: »tolerantni, marginalci: ivični ljudi«. Ljudi s granice, koju će im biti dopušteno preći samo ako pređu preko svoga dostojanstva.

# Miroslav Karaulac, pisac koji je napisao Andrića

Godinama je udešavano moje poznanstvo s Miroslavom Karaulcem. Sudjelovali su u tome mnogi ljudi, oni čija su mi imena i danas važna, ali i oni čija imena više ne pamtim. Sudjelovala je u tome i puka slučajnost, možda ponajviše ona koja bi se često javljala u različitim okolnostima i u svakakvim povodima — jednom sam mu tako u Beograd trebao nositi neku knjigu, ali je putovanje propalo — tako da je nije bilo lako izbjeći. Zadnji put me je osobno tražio, slao mi poruke preko zajedničkih poznanika, kao i preko onih s kojima se uopće i ne poznajem, s telefonskim brojem i molbom da mu se obavezno javim. Bilo je to prošle zime. Htio je Ranoga Andrića objaviti u Zagrebu, pa je mislio da bi mu ja u tome mogao pomoći. Nisam mu se javio. Nikada se nismo sreli i upoznali, nećemo se ni upoznati, niti ću biti u prilici da mu objasnim ta duga mimoilaženja, uključujući i ovo posljednje, posve namjerno, jer je Miroslav Karaulac neki dan umro. Ne grize me savjest što je ispalo tako: bolje za obojicu, a bolje i za onoga o kojemu je trebalo biti riječi.

Kada se oko neke tuđe knjige trudite, pa njezin rukopis nosite izdavačima, brinete se o njezinoj sudbini i strepite — više nego za svoju — kako će izgledati njezina naslovnica, hoće li biti korektorskih grešaka ili hoće li urednici u izdavačkoj kući shvatiti o čemu, zapravo, knjiga govori, obično preuzimate dvostruku odgovornost: bivate odgovorni i za ono što će se događati s piscem i za ono što će se događati s djelom. Na kraju, ništa dobro iz toga ne može da se rodi. Piscu ćete, najvjerojatnije, biti krivi, jer je on drukčije zamišljao sudbinu i put svoje knjige. A onda ćete biti krivi i djelu, jer će se pokazati kako je jednu sasvim pristojnu knjigu napisao monstrum kojega prethodno niste poznavali, i sada on nastavlja da živi i djeluje mimo vas, pa iznevjerava ono što ste za njega učinili, ali — što je važnije — i vlastito djelo. Tako to biva, i zato je bolje ne petljati se u sudbine knjiga i njihovih pisaca, i ničije rukopise, osim svojih, a i njih ako se već mora, nikome ne preporučivati. Ništa dobro, a ni loše, ne govoriti i ne pisati o djelima živih suvremenika, osim ako ne žive jako daleko, toliko daleko da vam se putanje neće ukrstiti. Ali da bi tako postupao, čovjek mora biti takve, asketske i monaške, prirode. I mora svoj prezir prema drugima, ili strah od njih, umjeti protumačiti kao skromnost i samozatajnost.

Ali u slučaju Miroslava Karaulca nisam se plašio onoga što bi se moglo dogoditi s piscem i njegovim djelom. Bio je velik i dovršen čovjek. Cijeloga svog odraslog života, još od jeseni 1981. kada me je profesor Boro Mihačević poslao kod Stipe, u knjižaru Svjetlosti u Titovoj ulici, da kupim Ranoga Andrića (»Ako nemaš para, ja ću ti dati, a ako te je sram da uzmeš, onda ukradi od ćaće i matere! Bolje da im kradeš za knjige, nego za nešto drugo.«), knjigu koju sam pročitao u jednoj noći, divio sam se načinu na koji je Karaulac opisao, objasnio i dokumentirao Ivu Andrića. Do danas u mome se divljenju nije ništa promijenilo, ili se promijenilo to što je veće nego što je nekada bilo, jer sam, živeći, stareći i trajući u ovoj imitaciji književnoga života, bivao svjesniji što je jedan pisac učinio za drugoga pisca, što je sve, pritom, žrtvovao, i u kojoj mjeri je poništio samoga sebe i nevidljivim se prikazao, sve da bi drugoga pokazao na njemu dostojan način. U Ranome Andriću ne postoji znanstvena metoda koja bi zadivila čitatelja, a piscu olakšala istraživanje. Nema zrcala u kojemu bi se ogledalo Andrićevo djelo, niti stilskoga pravca i teorijskog učenja na kojemu bi se, kao na stočnoj vagi, izvagala njegova vrijednost. To je knjiga, posve nevjerojatna, u kojoj se vidljivim čini pisac, koji je najveći dio svoga života želio samo to da ostane nevidljiv. Ali se vidljivim čini na takav način da se ničim, zapravo, ne povrijedi njegova težnja za nevidljivošću. A opet, izgovori se i napiše sve ono za što je Ivo Andrić tako strasno i tako sebesvjesno poželio da zauvijek bude nevidljivo.

Trideset godina nakon njezina prvog izdanja, nisam htio imati ništa s njezinim objavljivanjem u Zagrebu. Zapravo, nisam želio da ta knjiga, zajedno s onom kasnijom, Andrić u diplomatiji, uopće bude objavljena u ovome gradu. A istovremeno sam osjećao duboko poštovanje prema činjenici da Karaulac želi vratiti Ivu Andrića na mjesto s kojega je, na jedan krajnje perfidan, ali nedvosmislen način, svojedobno protjeran, u grad koji kasnije nije previše obilazio i u kojemu se koječega plašio i od koječega zazirao. Kažem, osjećao sam poštovanje, ali nisam želio da Karaulac to učini. Pogotovo nisam želio da ja u tome sudjelujem. A nije bilo načina da mu objasnim zašto je kriva jedna tako plemenita i u svakom pogledu ispravna ideja, da se djelo koje je kanonsko u razumijevanju velikoga srpskog, bosanskog i bosanskohrvatskog pisca objavi i u Zagrebu. I kako, uopće, može biti krivo nešto što je u svakome pogledu ispravno?

Miroslav Karaulac rođen je u Mrkonjić Gradu, bivšem Varcar Vakufu, 1932. Bio je romanist, dugogodišnji lektor i predavač na francuskim univerzitetima, pripovjedač, romanopisac i televizijski dramaturg, ali iznad svega drugog, najvažniji naš andrićolog. Karaulac jedan je od onih malobrojnih ljudi, uglavnom pisaca, ali ne samo pisaca, kojih bi se moglo nabrojati jedva desetak, za koje bi se moglo reći da svojim odnosom prema Andrićevom djelu u najbitnijem smislu određuju vlastiti identitet, nacionalni, domovinski, zavičajni. Iako imaju svoja privatna i građanska nacionalna ili vjerska određenja, ono najdublje i najistinitije u sebi odredili su u odnosu na njega, tako da su ti ljudi, pa tako i Karaulac među njima, neka zasebna, od svih drukčija nacija, koja u sebi nosi cijeli jedan svijet, koji itekako postoji, ili je postojao, izvan onoga što je Ivo Andrić napisao, ali je u njegovome djelu konačno i do kraja fiksiran. Tih ljudi, andrićevaca po kulturnoj i identitetskoj supstanci, ima po Beogradu i Sarajevu, a možda bi se našao i neki u Zagrebu (u koji se iz Bosne doselio ili u kojem stanuje u nekom stanju neprestanoga kulturnoga poluprogonstva), iz sve tri su bosanske nacije, ako je to, uopće, važno i napominjati.

Pišući Ranoga Andrića, a poslije i Andrića u diplomatiji, Karaulac nije o Ivi Andriću pisao u nekakvome srpskom ključu, kao što bi se u Zagrebu, gdje se o Andriću obično piše isključivo u nakaradnom hrvatskom ključu, i sa ciljem naknadne nacionalizacije pisca, e ne bi li se nacionalizirala i njegova najveća nagrada, jedino moglo i pretpostaviti. Tu negdje i leži moj mutni razlog, koji bi samome sebi još morao do kraja razjasniti, zašto sam bježao od Karaulčeve želje da Ranoga Andrića objavi i u Zagrebu. Koga knjiga zanima, i tko ju je u stanju na pravi način čitati, naručit će ju iz Beograda.

O kakvom ključu i kojem identitetu je tu riječ, može se razumjeti iz kratkoga citata: »Prepoznajući u istoriji Bosne sinhrone delove vlastite istorije i vlastite sudbine, i Andrićevo delo, koliko hronika tih obeležavajućih napora iz njene prošlosti, biće na isti način i svojevrsna suma vlastitog znanja o sebi — dvaju analognih sudbina, na mnogim mestima pomešanih i teško razlučivanih jedna od druge — mnoga njegova bitna sazvučja, rečena kroz opis zemlje, cela gama njegovih odlučujućih boja u toj identifikaciji sa nacionalnim bićem svoga kraja.«

Samo jednom u životu, više onako usput, Miroslav Karaulac sreo je Ivu Andrića. Mogao ga je i bolje privatno upoznati, ali nije se trudio. Sam je znao zašto tako jest. Karaulca sam izbjegavao upoznati zato da mi u životu ne bi umirao. Vijest o njegovoj smrti, pa još u godini Andrićeve nobelovske obljetnice, i u mjesecu u kojemu je i on umro, rastužila me je, ali i ispunila nekim čudnim ponosom, kao nakon posla koji je obavljen na za mene rijetko dosljedan i definitivan način. Nijednom se, pa ni usput, nismo sreli.

# Nikola Bertolino, biti Srbin a biti Hrvat

Najveći dio života, najdragocjeniju svoju životnu energiju i pjesnički dar, Nikola Bertolino uložio je u pokušaj da Baudelairea i Rimbauda prevede tako da na srpskom — ili kako on to insistira i kako on svoj jezik imenuje i doživljava — srpskohrvatskome budu što bliže jeziku izvornika. Sasvim podčinjen njima, i još nekolicini velikih francuskih i ruskih pjesnika, Bertolino svojom poniznošću, i dostojanstvom u toj poniznosti, pomalo podsjeća na onoga Ishigurovog batlera. Darovitiji i obrazovaniji od najznačajnijega dijela svoga književnog naraštaja, on se sasvim predao poslu i misiji prevoditelja kakvi postoje u velikim kulturama i jezicima, koji ne prevode sve i svašta, nego ostaju do kraja posvećeni jednom ili dvojici velikih pjesnika, prevodeći bezbroj puta jedne iste pjesme, ne bi li ih kako priveli svome jeziku. Tako i nije pretjerano reći da srpsku kulturu i književnost, a s njome i hrvatsku — u onoj mjeri u kojoj se njegovi prijevodi nalaze na hrvatskim policama i u memorijama hrvatskih čitatelja, velikom čini Nikola Bertolino, prije i više nego svi njezini doista veliki pjesnici i prozaisti. Veliki pisci su, uglavnom, samonikle pojave, koje nisu rađali narodi, nego njihove biološke matere, dok veliki prevoditelji značajno svjedoče o društvenoj i kulturnoj klimi, i ne može ih biti ako je ona nepogodna.

Nikola Bertolino rođen je 1931. u Buenos Airesu, u porodici dalmatinskih iseljenika. Kao dječaka preselili su ga u domovinu, gdje je, u vrlo burnim okolnostima, preživio i rat. U Beogradu je studirao romanistiku, tu se adaptirao, naselio, oženio i proživio najznačajniji dio života. Radio je u nakladništvu, bio urednik nekih od najznačajnijih književnih edicija tokom sedamdesetih i osamdesetih i aktivan sudionik društveno-političkoga života jugoslavenske prijestolnice. 2004. objavio je prvi nastavak svojih memoara, knjigu Zavičaji, koju evo već godinama uporno pokušavam pronaći po najprašnjavijim policama malih beogradskih knjižara, a ljubazne me trgovkinje upućuju s kraja na kraj grada, kunući se da je dotična knjiga tu i tu zadnji put viđena, ali uzalud. Zavičaje nisam pronašao, ni pročitao. Drugi nastavak memoara, Novi zavičaji, objavljen je 2008, u izdanju »Medijske knjižare Krug«, maloga, ali ipak uhvatljivoga beogradskog izdavača, i u njemu Bertolino priča o vremenima od svoga doseljenja u Beograd, u siječnju 1947, sve do raspada Jugoslavije i posljednjih dana mira.

Novi zavičaji izvrstan su prozni komad, zabavan, duhovit i pametan. U njemu se Bertolino pokazuje kao pisac neusporedive elegancije i pouzdan svjedok vremena, koji ima tu lijepu i tako rijetku osobinu da sebe prikaže manjim nego što jest pa svi oko njega u priči i u životu mogu neometano rasti. Ni u čemu on ne ističe i ne izdvaja vlastiti slučaj, niti svoju pamet i moralni osjećaj postavlja kao mjeru stvari. Ništa on nije vidio bolje i prije od drugih. Nema u ovoj knjizi one tako česte proročke memoarističke navade po kojoj bi ovaj svijet bio sretniji, ne bi bilo ratova, ni gladi u Africi, nacionalizma, ni mržnje među ljudima, samo da su slušali njega koji, evo, baš, milošću Božjom, o svome životu i o društvenoj povijesti upravo svjedoči. Bertolina je nosilo more vremena, bacalo ga okolo, lijevo i desno, kao što je bacalo i sve druge, a on o tome govori bez taštine i bez potrebe da dokazuje kako je uvijek bio u pravu. S jedne strane, možda tako i jest, možda tako i mora biti kada je netko tako uman i u dubinskom smislu civiliziran da život ulupa u prevođenje nekolicine velikih pjesnika. Takvo prevođenje podrazumijeva gotovo monaško odricanje od osobne sujete, pa onda čovjek o sebi i svojim slabostima govori kao da govori o drugome. Ali ima nešto što je važnije: da bi se o vremenu svjedočilo pišući o »slabome» sebi, o svojoj trapavosti i nesnalaženju u povijesti, o svom socijalnom oportunizmu i o antitalentu za marševski korak niz kasarnski krug i kroz život, mora se raspolagati vrlo ozbiljnim književnim darom. Naime, tako pisati je naprosto teško. Lakše je govoriti o sebi bogu, nego o sebi malom čovjeku.

Ali ima i nešto što je, zapravo, stvarna okosnica i tema ove knjige, a prema čemu je Bertolino aristokratski tašt, nesklapan u vremenu i prostoru, i tako veličanstveno i odlučno neprilagođen i isključiv. On se, naime, rodio kao Hrvat, i on jest Hrvat. To bez imalo femkanja i opterećenja kaže. Uostalom, zašto bi bio problem biti Hrvat? Pa čak i biti Hrvat u Beogradu. Da, ali zahvaljujući svojim Novim zavičajima, gradu Beogradu i zemlji Srbiji, jeziku (ili — u njegovom slučaju — jezičkoj varijanti), kulturi i životnome iskustvu, Bertolino je, zamislite samo to — Srbin. Dobro, nije strašno, čovjek se može roditi kao Jedno, a tokom života postati Drugo. U vrijednosnome smislu to ga ne čini ni boljim, ni lošijim. Konverzija je, između ostaloga, zorna potvrda da čovjek o nečemu uopće i misli. Glupani nikada ne konvertiraju. E, ali Bertolino nije taj slučaj, on uopće i nimalo nije konvertirao. On jest postao Srbin, ali je ostao Hrvat. Stvara li to u njemu gužvu? Tuče li se u njemu Hrvat sa Srbinom? Je li se jedan morao smanjivati u odnosu na drugoga, i gdje u čovjeku prestaje Hrvat, a gdje počinje Srbin? Odgovori su jednostavni: on je, jer tako jedino i može biti, jedan cijeli Hrvat i jedan cijeli Srbin. I ništa se tu ni sa čime ne tuče. Pritom, Bertolino je veliki Hrvat, Hrvatina, reklo bi se, i veliki Srbin, ili Srbenda, jer su ga oni oko njega, sitni Srbi i sitni Hrvati, naveli da o svome hrvatstvu i o svome srpstvu u životu razmišlja više i duže nego što je to ikada činio netko od tih ubitačno dosadnih srpskih nacionalističkih vaški i hrvatskih kleronacionalističkih ušiju.

Kada je 1971. došao u Zagreb kao predsjednik Udruženja književnih prevodilaca Srbije, da bude gost na godišnjoj skupštini Hrvatskoga društva prevoditelja, dočekao ga je bojkot. Nitko s njime nije htio razgovarati, i baš kada je htio napustiti skupštinu i vratiti se što prije u Beograd, hrvatski kolega, predsjednik društva Leo Držić pozvao ga je u Klub, na večeru. Samo da ga na kraju uvrijedi, da mu kaže: »Bertolino, vi ste se odrodili.» O, kako li mi je znan taj uljuđeni diskurs velikoga hrvatskog prevoditelja i kulturnog pregaoca Lea Držića! O kako mi je samo znano to rodno hrvatstvo, koje će vas pristojno upozoriti na to da vi zapravo i niste Hrvat, ne pripadate rodu, jer oni su, eto, tako odlučili, da bi vam na koncu hinjski prducnuli u juhu kojom su vas, evo, počastili, e sve pokazujući svoju mitleuropsku finoću i odmjerenu gostoljubivost.

A odnekud mi je poznat i osjećaj, o kojem Bertolino na više mjesta piše, kada vas u otvorenom i srdačnom Beogradu krenu upozoravati da ste tu ipak — stranac. Za srpske je nacionaliste i malograđane on bio Hrvat, čovjek sa čudnim talijanskim prezimenom, netko tko se nije legitimirao kao naš, vječiti stranac i vječiti Žid, koji nigdje nije, po hrvatski rečeno, svoj na svome. A on to nije, on je proklet, on je sam i on je Židov, premda nije mojsijevske vjere, zato što je Hrvat, i zato što je Srbin, i zato što je oboje odjednom i na način koji je drukčiji od načina veće. Postoji barem četiri i pol milijuna načina kako se može biti Hrvat i još barem devet milijuna načina kako se može biti Srbin, ali čim to shvati, čovjek ostaje sam.

Naši zavičaji važna su knjiga srpske, hrvatske i srpskohrvatske književnosti. Iz nje se o jeziku i identitetu da saznati više nego iz drugih naših knjiga. Kroz nju kao protagonisti i Bertolinijevi prijatelji ili znanci promaknu Miodrag Bulatović, Slobodan Milošević, Danilo Kiš, Vasko Popa, Dragan Jeremić, ali i Vlado Gotovac, Ksenija Urličić i Žarko Domljan. Lijepa je i bolna njegova priča o pucanju prijateljstva s Domljanom.

U zla doba ljudi i bez svoje krivnje postaju šovinisti. Kada mu se rodio sin, Bertolino mu je, u dogovoru sa ženom, dao ime Tomislav. Lijepo hrvatsko kraljevsko ime, koje nikome neće smetati, niti će dječaku činiti probleme u životu. Ali Bertolinov otac našao se smrtno uvrijeđenim, jer unuk, po obiteljskom običaju, nije ponio djedovo ime. Bertolinov otac zvao se Ante. I nekad se u Buenos Airesu predstavljao kao Jugoslaven. Ali sada je sinu poručio da više nikada neće kročiti u njegov »srpski brlog«. Nikola Bertolino oprostio je i ocu. Bio je to samo trenutak ludila, koji je zatim dugo trebalo popravljati. Kada mu se rodila kćerka, dao joj je ime — Antonija.

# Zdravko Malić, progonstvo, čežnja i Poljska

Ledeno je januarsko jutro, vozim od Sarajeva prema Zenici. U Zagreb se vraćam, zdvojan prema mjestu koje mi je za leđima, jednako kao i prema onom koje je preda mnom. Kada bih mogao stati, kada bi to imalo smisla, zaustavio bih se tu nasred ceste, i bilo bi mi jednako kao što će mi biti i ovamo i onamo. Promiče skretanje za Lašvu i Travnik, i ja se tad sjetim Zdravka Malića, i o njemu mislim cijelo vrijeme puta. Kada dođem kući, uzimam Ivanovu knjigu »Sedam dana po Bosni«, otvaram 160. stranicu, i čitam Malićev tekst, pod naslovom »U kući koje više nema«. Neka ga sad i tu:

»Evo me opet u Docu na Lašvi, sjedim za stolom, kraj niskog prozora, u Tončikinoj kući, netom sam obišao maleno groblje, na obronku, za crkvom, gdje leže moji pokojnici, pradjed Martin, djed i baka, otac i mati, striko Marko sa svojom Danicom, okruženi svojim znancima, i onima među njima koji su bili otišli u svijet, pa se onda, mrtvi, vratili doma. Čitavo jedno podzemno — nadzemno susjedstvo.

Sjedim tako za stolom kojeg više nema, s mojom Tončikom koje više nema i koja mi govori: ‘Sada ću ja nama skuhati kavu, pa ćeš mi ti sve redom ispričati’.

Sjedim tako kraj niskog prozora, razmičem kao hostija bijelu zavjesicu i pogledom se polako penjem uz visoku planinu obasjanu suncem na zalasku. U kući koje više nema.

Samo to bližnje groblje. Samo ta visoka planina. Samo to nad planinom zavičajno nebo.«

Profesora Zdravka Malića spominje se kao Nestora zagrebačke polonistike, velikog prevoditelja i, valjda, najvećega gombrovičologa na ovim prostorima. Prije nekoliko godina ArTresor naklada posthumno je objavila knjigu »Gost u kući«, s izborom njegovih prijevoda i prepjeva poljskoga pjesništva. Djelo je priredila i pogovorom opremila Dragica Malić, poznata kroatistica i profesorova životna družica. »Gost u kući« čita se kao stručna i intimna autobiografija jednoga prevoditelja, ali i kao monografija velikoga poljskog pjesništva.

Zdravko Malić dijete je iz činovničke bosanske obitelji, rođen u Ljubiji, rudarskome gradiću na sjeverozapadu Bosne. Djetinjstvo i prve odrasle godine proveo je u Sarajevu, gdje je postao žrtva jednoga od onih mračnih, a čestih političkih procesa, u kojima su, obično, stradavali gimnazijalci i djeca iz boljih kuća. Bdijući nad tekovinama revolucije, ali još više — nad nikad sređenim nacionalnim odnosima u nedavno višestruko klanoj i preklanoj zemlji, čuvari poretka patrolirali su među izgovorenim i neizgovorenim riječima, a katkad i mislima, pa hapsili, ne bi li se tako uspostavilo bratstvo i jedinstvo. Zdravko Malić kažnjen je isključenjem iz svih škola u Bosni i Hercegovini, pa je tako stigao u Zagreb, i u njem maturirao i završio jugoslavistiku i rusistiku.

Nisam ga poznavao, ali jesam, u Sarajevu, njegova brata Hrvoja, tiskarskog majstora, gospodina u plavome radničkom mantilu, ruku vazda umrljanih olovom, dobro temeljenog i jakog čovjeka, koji je malo govorio, a djelovao distancirano. Bio sam zapravo dječak dok sam ga sretao po hodnicima redakcije i poslovne zgrade Oslobođenja, u »Kožnom« (tako se zvala redakcijska kafana, s foteljama u skaju, koji se godinama gulio), i nisam u njegovome držanju prepoznavao neku ljudsku muku. Ili je bilo takvo vrijeme da se ta muka u čovjeka ne bi poznala. Pozdravljao sam ga kao što se pozdravljalo u Kustinim filmovima po Sidranovim scenarijima: »Dobar dan, čika Hrvoje!« A on bi se načas štrecnuo, misleći da ga zezam s ovim — čika Hrvoje. Tko zna, možda sam ga i zezao. Rat je Hrvoje Malić dočekao na Grbavici, pod okupacijom. Premda su ovakve usporedbe neumjesne, jer devalviraju i jednu i drugu ljudsku patnju, ipak bi najtačnije bilo reći da je život na Grbavici za svakoga Hrvata ili Bošnjaka bio najsličniji životu Jevreja u Varšavskome getu.

Zdravko Malić živio je u Zagrebu, u progonstvu. Svaki čovjek koji je protiv svoje volje morao otići iz svoga doma i svoga grada, makar i samo zato što mu je bilo onemogućeno školovanje, u duši je prognanik. Nešto posve drugo je otići svojom voljom. I kao što onaj koji sam i od ćeifa krene u svijet, makar dobacio i samo do Zagreba, nikada neće biti prognanik, niti će se tako osjećati, tako ni onaj koga su protjerali nikada neće novi grad do kraja doživjeti kao mjesto svoga vlastitog životnog izbora. To je vidljivo u citiranom, kao i u brojnim drugim Malićevim prozno-poetskim zapisima. Osim što u njima piše o izgubljenom zavičaju, način na koji to čini je tako živo bosanski, kao da nikada nije otišao, nego i danas živi u 1952, u toj godini svoga progonstva.

Svoju je domovinu on našao u poljskoj književnosti. Ne znam koji su mu bili motivi, ali u tom je izboru nešto utješno. Naime, poljska je književnost — skoro bez značajnije iznimke — u Malićevoj, ali i u nekoliko prethodnih generacija, bila književnost prognanika. Od Czesława Miłosza i Gombrowicza, do Zbigniewa Herberta i Adama Zagajewskog, malo tko je mogao živjeti tamo gdje se rodio, ili barem obići mjesto u kojemu se rodio, svejedno, pritom, je li izgnanik u San Franciscu, ili su ga u bešici, iz rodnoga Lavova prognali u Krakov ili Gliwice. Cijela je Poljska, njezino zemljopisno tijelo, 1945. premješteno stotinjak kilometara na zapad, tako da je prognaništvo nekako već u osjećaju poljskosti. Tamo gdje su svi odnekud protjerani, čovjek o tome, vjerojatno, počinje razmišljati na drukčiji način. Pretpostavljam da je Zdravko Malić u takvoj poljskosti pronašao sebe, svoju dolinu Lašve, Travnik, Sarajevo i sve uskraćene mu sarajevske godine.

Čika Hrvoje je ostao. Ali i on je, na neki drukčiji način, živio u progonstvu. Svi oni koji su od policijskih žbira sakrivali svoju muku, živjeli su u progonstvu. Osim toga, ima nečega tako bosanskog u osjećaju da si rođen negdje gdje sad nisi, pa će te, kako kaže pisac, mrtvoga »vratiti doma«, u to tvoje pravo »podzemno — nadzemno susjedstvo«. O tome pjevaju sevdalinke, o tome, jasno ili skriveno, pričaju Andrić, Samokovlija, Selimović, a o tome pomalo govori i izvanredni film Danisa Tanovića Cirkus Columbia, koji u Hrvatskoj nisu mogli razumjeti. Na kraju, Hrvoje Malić dočekao je pod starost strašno bosansko finale, na Grbavici, u paklu.

Zdravko Malić umro je 3. rujna 1997. u Cavtatu, na odmoru, dok je pripremao svoja jesenja predavanja. Još nije navršio ni šezdeset i petu, mlad čovjek, rekao bi svijet zagledan u novinske smrtovnice i parcet liste po našemu hrašću, ali je umro na mjestu koje, za svakoga Bosanca, predstavlja raj. I o tome je Andrić pisao, o tome kako svaki taj čovjek, rođen u ledu i magli s onih strana brda, teži da se jednoga dana spusti na more, u sunce i modrinu, i tu da skonča. Najbolje, u kasno, kasno ljeto.

Mislio sam tako, vozeći se od Sarajeva prema Zagrebu, o Zdravku Maliću i o njegovome bratu, pa mi je učas prošao put. Lijepo je, čini mi se, kad čovjek ima o kome da misli, a da mu sve što misli bude kao da je o sebi mislio i kao da je svodio svoje prve i posljednje račune. Mi svoja groblja nosimo sa sobom, i na njima su ljudi koje smo upoznali, i oni koje nismo, ali kao da ih znamo. Lijepo je tako. Da nije njih, da nije groblja i grobova, bili bismo sami i svaka bi ljudska i Božja muka bila bez ikakva smisla.

# Vesna Miović, ferman za živi Dubrovnik

Dugo je trajao moj oproštaj s Dubrovnikom, nakon što nam je u ljeto 1974. umrla tetka Lola Ćurlin. U gradu u kojemu sam do tada imao svoju adresu, svoju postelju i svoj prozor s pogledom na zvonik Svetoga Vlaha, trideset i pet sljedećih godina noćivao sam po hotelima ili bih sa sumrakom odlazio tamo odakle sam i došao. Naučio sam, na kraju, da je, možda, bolje više nikada ne dolaziti u gradove u kojima si izgubio adresu. Dubrovnik je kulisa mnogih privatnih povijesti, u kojemu postoje muzealni ostaci jedne kulture i niza njenih velikih pripovijesti, ali u njemu danas žive drukčiji ljudi. Dogodi se da grad poprimi lica svojih stanovnika, pa se tako na mjestima drvenih prozorskih okana jednoga dana ocrtaju plastični pendžeri, ali još se dogodilo nije da osvajači postanu nalik osvojenom gradu. U Dubrovnik se više ne spuštam, jer bi mi se kadikad, a onda sve češće znalo učiniti da bih se morao spuštati prenisko. Sve ono što me od njega zanima, i sve što mi pripada, nalazi se ionako u fotomonografijama, izgubljenim porodičnim albumima, u sjećanjima i po sasušenim granama obiteljskih stabala. Nalazi se u knjigama, po koje ne moram odlaziti u Dubrovnik.

Vesna Miović jedna je u nizu povjesničarki i povjesničara koji pišu o Dubrovniku i objavljuju knjige, uglavnom po specijaliziranim edicijama i u malim nakladama. O njima se govori na stručnim simpozijima, ne izlaze iz okvira akademskih ceremonijala, ne stižu do novinskih stranica, jer ih ne prate afere i kontroverze. U tim knjigama je, međutim, više dramatike i životnih kontroverzi, pa čak i više afera, nego u cjelokupnome kulturnoumjetničkom stvaralaštvu članova oba hrvatska književna društva. U djelu Zdenke Janeković Römer »Maruša ili suđenje ljubavi«, jednoj od rijetkih suvremenih dubrovačkih historiografskih pripovijesti koja je doživjela širu recepciju, rekonstruira se, kao u kakvom detektivskom romanu, velika ljubavna priča, iz koje zatim izbija duh epohe. U knjizi Zlate Blažina Tomić razotkriva se jedno od, zapravo, najzanimljivijih pitanja uopće: kako je maleni Dubrovnik, skupa sa svojim rigidnim pravilima o nasljeđivanju plemićkoga statusa, mogao preživjeti sve europske epidemije plućne i bubonske kuge? Priča o kacamortima, koji bi bili imenovani s pojavom epidemije da poput kakvih starovremenih diktatora, bezobzirni prema svakom pojedincu, koliko god on ugledan bio, vode Dubrovnik sve do konačnoga izlječenja, djeluje kao metafora, a nije metafora.

Tako bi se valjalo spomenuti i knjiga Slavice Stojan, Nelle Lonze, rodovskih istraživanja Nenada Vekarića i Nike Kapetanića, ili žanrovski rubne knjige o dubrovačkom tramvaju, što ju je Kapetanić načinio s Božom Lasićem... Značajan dio ovih djela i prethodećih istraživanja nastajao je pod okriljem dubrovačkog Zavoda za povijesne znanosti. Nekad su knjige izlazile i u izdanjima ogranka Matice hrvatske, a uređivao ih je Miljenko Foretić. Katkad su izdavane i mimo svih edicija, u privatnim nakladama. Iako pobrojani pisci, kao ni oni koji nisu spomenuti, a trebalo ih je spomenuti, ne pripadaju zajedničkoj školi i istome društvu, udaljeni su im svjetonazori, različite pobude iz kojih pišu, oni ispisuju jedan virtualni Dubrovnik, historiografski i narativni, koji je na stanovit način važniji i od ovoga stvarnog, kojemu je gradonačelnikom danas najistaknutiji hrvatski borac protiv žive kulture, gospar Andro Vlahušić.

Ali meni je, kažem, najvažnija Vesna Miović. Moj interes za povijest obično je interes za pripovijest, za naraciju, tako da je ovaj odabir dvostruko uvjetovan. Najprije, darom da se nešto ispripovijeda, koji je u našoj znanosti obično sasvim podcijenjen, a onda i sadržajem ispripovijedanoga. Vesna Miović bavi se s dvije meni zanimljive teme: s odnosima Dubrovnika i Otomanske imperije i s poviješću mikrozajednice dubrovačkih Židova. Prva je tema široka i raskošna, i skoro da bi se moglo reći kako je sva povijest Dubrovnika sačinjena od neobičnoga i neravnopravnog dijaloga s Otomanskom imperijom, dok je druga tema toliko sitna, sužena i slabo dokumentirana da jedva i jest temom. O jednome da se pisati u širokim zamasima, o drugome nasitno, tako da se kulturna i politička povijest stalno preplića s privatnom i obiteljskom poviješću. Oboje Vesna Miović sjajno radi.

Svoja istraživanja o poklisarima harača (pripadnicima vlastele, koji bi bili imenovani da u Istanbul nose blago kojim se kupovala nezavisnost Republike) Vesna Miović organizirala je u savršenu narativnu cjelinu, koja bi se u nekoj drugoj kulturi pretvorila u bestseler, dok bi se televizijski dokumentaristi otimali koji će po njezinoj priči načiniti putopisni serijal od Dubrovnika, preko Brgata, sve do Carigrada, putevima poklisara. U nas se dogodilo samo to da je Slobodna Dalmacija — unatoč svim krizama, ipak, najprosvjećeniji hrvatski dnevnik — prije desetak godina, čini mi se na lokalnim stranicama, objavljivala feljton Vesne Miović o poklisarima harača.

U knjizi o dubrovačkom židovskom getu, objavljenoj 2005. u izdanju dubrovačkog Zavoda za povijesne znanosti, koji radi — vrijedi to napominjati, ukraj svake rasprave o akademiji i kojekakvim akademicima — pod okriljem HAZU, Vesna Miović ispisala je kratku povijest židovske zajednice, sve do 1808.

i pada Republike. Mučan je i težak bio život toga svijeta, kao i u većem dijelu Europe toga vremena, ali je zanimljivo pratiti kako je u malenome, u ljusku zatvorenom Dubrovniku, stvaran geto, kako su kuće i ulice napola dijeljene, ali i kako se rađala jedna paralelna, manjinska tradicija, onoga Dubrovnika pod znakom Davidova slova, koji je preživljavao stoljećima, a imao druge zaštitnike mimo svetoga Vlaha. Pa kao što je Dubrovnik preživljavao svoja stoljeća slobode po milosti turskih sultana i zbog interesa Visoke porte da ima svoj Hong Kong, tako su Židovi u Dubrovniku preživljavali po milosti katoličke većine, koja je imala i svoj interes za tim ljudima, a taj interes bi se opet, možda, mogao usporediti s otomanskim interesom za Dubrovnikom.

Vesna Miović (1961) rođena je Dubrovkinja. Orijentalistiku je studirala u Sarajevu, a doktorirala je u Zagrebu. Praktično cijelu svoju profesionalnu karijeru provodi u Zavodu za povijesne znanosti, premda svojim znanjem i talentima pripada širemu svijetu. Istina, onaj virtualni Dubrovnik, o kojemu piše i u kojemu u značajnom smislu ta žena boravi, toliko je širok da bi čovjek u njemu i oko njega mogao proboraviti i nekoliko cijelih života, a da ne stigne iščitati sve dopise i fermane koji su stizali iz Carigrada, ili su u Carigrad slani. Zato bibliografija Vesne Miović već jest vrlo bogata, i u njoj ima žanrovski vrlo različitih tekstova. O istoj temi ona zna, i ima potrebu, pisati na više načina, pa i na onaj u nas gotovo prezreni, kada se povijest sažima u literarne medaljone i anegdote. Takav način jednako dobro podnose i visoka književnost i turistički bedekeri, koji se zatim prevedu na nekoliko najfrekventnijih turističkih jezika.

Upravo takva je njezina posljednja knjiga »Mudrost na razmeđu«, s podnaslovom »Zgode iz vremena Dubrovačke Republike i Osmanskog Carstva«, objavljena, pazite sad ovo, kod dubrovačkog izdavača koji se zove »Udruga za promicanje multikulturalnih vrijednosti Kartolina«. Riječ je o malome literarnom dragulju, od jedva sto dvadeset stranica, prošaranih fotografijama; prostoru koji je, međutim, bio dovoljan da Vesna Miović predoči čitatelju prostor skoro cjelokupnoga svog profesionalnog interesa. Pritom, taj imaginarni čitatelj slobodno smije biti savršena neznalica. O Dubrovniku, dubrovačkoj povijesti, kulturi i identitetu ne mora ama baš ništa znati. Jedino što se od njega očekuje jest — otvorenost. I to ona otvorenost spomenuta u punom nazivu Vesnina izdavača. A to je za naše dubrovačke, hrvatske, pa i europske prilike već jako mnogo.

Od ove knjige zadnjih dana počinje Dubrovnik, kao što je nekada počinjao kada bi Centrotransov autobus prošao pokraj table s natpisom Lozica, a zatim nastavio meandrirati Rijekom dubrovačkom i podno Mokošice... Još od Luja kneza Vojnovića — boljeg pisca od dvojice velike književne braće, i dva dubrovačka tuđina — u knjigama se traži i nalazi ona hrid koju svakoga ljeta po Stradunu zazivaju patetični prijestolnički glumci.

# Kosta Strajnić, dugo umiranje u provinciji

Na velikoj, monografskoj izložbi Ljube Babića, koja je u Modernoj galeriji popunjavala pustoš cijele jedne zagrebačke zime, pa su je na koncu i produžili, navodno zbog velikog interesa publike, pokazan je i portret Koste Stajnića, crtan i slikan ratne 1915. Nasmiješen i mlad, bilo mu je tek dvadeset i osam, na čas je, iz nekoga donjeg rakursa, pogledao u portretista, kao da će u sljedećem trenutku ponovo spustiti glavu i vratiti se svojemu važnom i velikom poslu. Dok je Europa gorjela i dok su se glavni romanski i germanski protagonisti njezine uljudbe međusobno trovali kao štakori, dok su po Primorskoj, na Soči i na Piave pod carskim i kraljevskim fesovima za slavu Beča i Pešte junačni ginuli bojovnici Bosanske regimente i dok su na svim unutarnjim i vanjskim frontama bezglavo srljali i glave gubili Krležini domobrani i dok se cijela Srbija, kao u kakvoj kristolikoj gesti, u zamahu Božje ruke, povlačila preko Albanije, prema Solunu, i orio se, na svim stranama, grandiozni prolom i poraz ljudskosti, kulture i humanizma, Kosta Strajnić se, velik i moćan, smiješio, zamišljajući jednu novu umjetnost, zasnovanu na onom opijajućem vidovdanskom nacionalizmu, na mistici majke Jugovića i junaštvu Marka kraljevića, o čemu je, pola stoljeća kasnije, Miroslav Krleža pripovijedao u Zastavama, tom veličanstvenom, danas kriptičnom, tekstu hrvatske i jugoslavenske književnosti. Bio je Strajnić, te ratne godine, sjajna zvijezda jedne buduće kulture. Ljubo Babić ga je slikao s udivljenjem — ili se nama današnjima tako čini.

Na drugome kraju čovjekova života, stoji portret koji je načinio već i sam starac, Ivo Dulčić. Na njemu je Kosta u nekakvom groteskom kaputiću, pomalo nalik uniformi Djeda Mraza, s lulom u ruci, tanak, uspravan, karikaturalno strogog izraza lica. Ni traga više osmijehu. Velika slika, u to sumnje nema, ali i čudesno amblematična, jer su po tom Dulčiću drugi umjetnici i zanatlije stvarali vlastite interpretacije i reinterpretacije, ne shvaćajući, po svoj prilici, koga na tom portretu vide. A i kako bi shvatili, kada ih se život Koste Strajnića nije ticao, kao što se nas tiče, dok u lijevoj ruci držimo Babićevu, a u desnoj Dulčićevu reprodukciju, i osjećamo, koliko god jednu ruku približili drugoj, pa pljeskali slikom po slici, da je između njih stao čitav jedan život, i s njim jedna fatalno kriva životna procjena.

Kosta Strajnić, hrvatski Srbin, rođen u Križevcima, studirao je slikarstvo u Zagrebu, a slikarstvo i povijest umjetnosti u Beču, mlad se, vrlo kreativno, svađao s Matošem — i obojica su bili u pravu — prvi je 1919. kanonizirao Meštrovića, i do danas se ništa, ili skoro ništa, u tom kanonu nije pomaknulo, ni promijenilo, osim ideološko-nacionalnih atribucija, zatim je, jednako sigurno, kanonizirao i Jožeta Plečnika, i rastao dalje, skupa sa s velikom estetskom i političkom idejom i njezinim protagonistima, da bi se onda, vrlo brzo, već oko 1928. razočarao i rezignirao, kao što je rezignirao veći dio njegova naraštaja (o čemu, također, pripovijedaju Zastave). Tada se, po nagovoru Ivana Meštrovića i Marka Murata, doselio u Dubrovnik i zaposlio kao konzervator. Svoju veliku jugoslavensku ambiciju zamijenio je istom takvom velikom ambicijom da od Dubrovnika načini živo kulturno središte. Tamo gdje su drugi, evo sve do danas, vidjeli samo muzej starina i iskopina, ili mjesto gdje se da dobro zaraditi na vjeri, idealizmu i turizmu, Kosta

Strajnić osjetio je živu dušu grada, talent i kreaciju. Tako si je zapečatio sudbinu.

U neuvjetnom i sumornom stanu, na adresi Za kapelicom 4, u koji se uselio te 1928, živio je sve do smrti. Skupljao je slike i pravoslavne ikone, gomilao svakojaku dokumentaciju, bezuspješno pokretao Muzej satire, brinuo se o svakome kamenu, kao da je njegov rođeni, ili kao da je sav Dubrovnik nosio u bubregu i u žučnoj vrećici, i živio je tako, na vlastitu štetu. Pokušao je, pred smrt, načiniti donaciju Gradu, ali su ga, zapravo, odbili. Bio im je sumnjiv, valjda, sav taj njegov angažman, taj silni agon. A tko zna što im je sve u vezi Koste Strajnića još moglo biti sumnjivo. Kada je u ljeto 1977. umro, njegova se zaostavština razletjela i rasula na sve strane. Tih godina je općenito umirao i nestajao građanski Dubrovnik, odhodila su gospoda činovnici i liječnici, ruski emigranti i carski i kraljevski željeznički službenici, gospodski berberi i sajdžije podrijetlom iz Trebinja, pravnici i advokati, i nešto malo moje rodbine, koja me je malenog Kosti nosila za kartaških poklonstava, tako da na kraju za mene, a možda i za još ponekoga, današnji Dubrovnik s onim Dubrovnikom ima samo nekih blijedih i nesigurnih scenografskih sličnosti.

Kosta Strajnić umro je kao poražen čovjek. Mali, ojađeni i u sebe zatvoreni čuvar provincijskih starina. A bio je velik, snažan i moćan, i bio je predodređen i za veću smrt, na kraju. Recimo, u Londonu, ili u Richmondu na Temzi, kao onaj njegov jugoslavenski šaman Dimitrije Mitrinović (u Zastavama Mitar Mitrović), ili barem u Beogradu, jer — kao što veli najružnija balkanska poslovica — svaka ptica svome jatu leti. A on umjesto da svome jatu odleti, ostao je tamo, za katoličkom kapelicom, u vrh vrha Staroga grada, žalostan, ojađen i duboko neshvaćen. O stotinu i dvadesetoj godišnjici rođenja, i tridesetoj smrti, dubrovački ogranak Matice hrvatske mu je, skupa sa zagrebačkim Institutom za povijest umjetnosti, odao počast »Strajnićevim zbornikom». Tu je knjigu s pomnjom i s ganutljivim poštovanjem priredio mladi dubrovački povjesničar Ivan Viđen, i u nju, pored tekstova sa simpozija održanog svibnja 2007. u Dubrovniku, uvrstio i niz silno zanimljivih priloga, Kostinih članaka i osvrta njegovih suvremenika, uglavnom nekrologa. U jednome od njih, beogradski historičar umjetnosti i akademik Dejan Medaković ovako o Strajniću piše: »Upoznao sam ga kao već sasvim ostarelog, i skoro zaboravljenog. Već prvi utisak je bio da pred sobom imam jednog ogorčenog čoveka, ličnost koja je u sebi već odnegovala i do rafirmana dovela jedno latentno ogorčenje na okolinu.«

Biografski pad Koste Strajnića, koji bi se dao nazvati padom u sudbinu, životno je i intelektualno porazan. Ali je kao literarna, pa i estetska činjenica, zapravo veličanstven. Njegov život, kada ga gledamo ovako s razdaljine, i iz privida vlastite egzistencije, i vlastitoga disanja i osjećanja, doima se kao neko veličanstveno umjetničko djelo. Svjesno začet u vrijeme kada je Europa krvarila i kada su se rađale nove nacije, a pojedinačne su egzistencije bile onoliko važne koliko je u njima bilo talenta za opće, dovršen je u apsolutnoj i fantastičnoj samoći i neshvaćanju, u bijesu onoga tko zna da je okružen kretenima, a nema više snage da se protiv njih bori, niti da od njih pobjegne.

Ovaj članak, mimo običaja, posvećujem Mišku Ercegoviću, Dubrovčaninu, koji je negdje, u nekoj šupi, pronašao skulpturne karikature Koste i Jovanke Strajnić, spasio ih i restaurirao. Gospar Miško se još uvijek sjeća.

# Ivo Maroević,
# život kao memorija grada

Jedan je od postblagdanskih dana, ili je Stjepandan, ili je drugi siječnja; popodne, sjedim pred televizorom, tup od otrova, kemijskih i duševnih, impregniran sinoćnjim nikotinom, katranom i alkoholom, obespokojen tim vječitim osjećajem, tom grižnjom da ne umijem slaviti, ne umijem se osjećati dobro kada je cijeli svijet dobro, pa strepim da nailazi neka nesreća, i da sam osobno za nju kriv, i da se svega toga oslobodim, da zaboravim i očistim se, zurim u ekran i gledam reprizu nekakve dokumentarne emisije. U Trnju, negdje iza zgrade Hrvatske radiotelevizije, naočit gospodin, tanak i uspravan, kao da ga je izvajao i odlio Alberto Giacometti, pripovijeda o naselju koje nestaje tako što stanovnici dograđuju katove, grade garaže i uništavaju nešto što je jednom davno bilo zamišljeno kao cjelina i što je od nesumnjive umjetničke, arhitektonske i urbanističke vrijednosti. Govori pametno i slikovito, i rezignirano taman koliko je pristojno u odnosu na povod, ali tako da gledatelj u to reprizno blagdansko popodne stekne dojam da je govornik propadanje jednoga gradskog naselja projicirao na vlastitu sudbinu, te da memoriju grada — a o memoriji je tu zapravo riječ — doživljava kao svoju vlastitu, kao svoj porodični album, kućno predsoblje, dnevni boravak i u njemu svoju fotelju.

Tako to zvuči, premda je gospodin distanciran i vrlo pristojan, lišen one nepodnošljive potrebe nekih zagrebačkih profesora i profesorica, pisaca ili kunsthistoričara, da familijariziraju javni prostor i vlastiti profesionalni interes, što onda u čovjeku budi otpor i neraspoloženje prema svemu onome što oni tako lijepo opisuju, svjedočeći o Zagrebu kao da je riječ o brošu, što ga prikačiše, evo, da se pokažu na premijeri ili otvaranju izložbe. Ovaj čovjek je, kažem, nešto drugo, zato svih ovih godina i pamtim to postblagdansko popodne, za vrijeme kojega gledam i slušam njegovu pripovijest o ljudima koji su, ne znajući za sjećanje grada, dogradili kat za sina i kćer, studente. On je Don Quijote, i njemu se može vjerovati. S nestankom trnjanskih kućica, nestaje njegov svijet. U sasvim netragična vremena, on će sačuvati dar za tragiku, dar koji je moguć samo ako se netko nečega sjeća.

Ivo Maroević, rođen 1937. u Starome Gradu, na Hvaru, bio je — kažu biografije — povjesničar umjetnosti, muzeolog i konzervator. Radio je kao osmoškolski profesor, kao kustos sisačkoga muzeja, bio ravnatelj Restauratorskog zavoda Hrvatske, pa profesor na Filozofskom fakultetu u Zagrebu. Kada je 20. siječnja 2007. umro, ispraćen je uz sve ceremonijalne izraze poštovanja, spomenut je u televizijskim vijestima, notiran u dnevnim novinama...Otišao je, dakle, onako kao što se u nas obično odlazi, nepovratno i u zaborav. U neki malo dublji i temeljitiji zaborav od onoga koji je ljudima njegove vrste namijenjen u ozbiljnijim zemljama i u sjećajućim gradovima. Tko li će, Bože mili, sad stajati među onim ubavim trnjanskim kućercima, i govoriti o alzhajmeru nadograđenih katova i garaža? Žao mi je bilo čovjeka, iako ga nisam poznavao. Ili mi je bilo žao kuća koje su ostale same.

Godinu i koji mjesec kasnije, na sporednoj polici u Profilovom megastoreu, našao sam njegovu, upravo izdanu knjigu, s naslovom »Zrnca životnog mozaika«. Lijepa, zapravo jedna od najljepših knjiga u posljednjih tko zna koliko sezona, sitno ispisanog imena autora i naslova, s karikaturom Davora Salopeka na naslovnici, to je bila neka vrsta Maroevićeve spomenice. Nije riječ ni o memoarima, ni o profesionalnoj kronici jednoga marnog i posvećenog čuvara starina, ni o zbirci njegovih načela i vjerovanja, ni o porodičnom albumu zavještanom djeci i unucima, ni o kasnome književnom pokušaju nekoga tko je, izvan svake sumnje, imao literarnog, pa i pjesničkog dara, čistog i odnjegovanog. Radi se, zaista, o spomenici, koju je Ivo Maroević pisao kada se teško razbolio i kada je, zapravo, već bio na odlasku. Ne čini se, međutim, da je pisao pokušavajući da prevari smrt, niti je pisao iz uvjerenja da njegovo znanje ili biografija vrijede da budu sačuvani za širu društvenu zajednicu, nacionalnu kulturu, čovječanstvo... Njegova ambicija bila je puno ozbiljnija. Izgleda da je pisao knjigu za svoje bližnje. Čitajući, čovjek ima dojam da mu pisac rastvara svoju intimu i poziva ga u nešto što se, izvan književnosti, ne nudi strancima. Ali istovremeno, ta vrsta intimnoga razotkrivanja i jest ono po čemu se, između ostaloga, književni tekstovi prepoznaju pokraj tekstova koji književni nisu.

Neočekivano duhovito, lako i samosvjesno Maroević pripovijeda o ulozi humanističkoga intelektualca, pa još i umjetnički vudrenoga, u vremenima socijalizma, o životu u provinciji i o političkim mijenama koje su se događale od kraja šezdesetih. Kako je neopterećen vlastitom ulogom u povijesti, a ne pokazuje ni potrebu da revidira svoju prošlost i prikaže se u svjetlu novoga doba, on će priču o životu u socijalizmu ispričati na način kakav se u hrvatskoj književnosti, na žalost, rijetko sreće, tačno i jasno, onako kako je svoj život proživio. Nemajući potrebe da laže i izmišlja, ispripovijedao je, u fragmentima, priču koja ima istovremenu snagu dokumenta i fikcije.

»Zrnca životnog mozaika« pisana su bez ikakvih žanrovskih ili društvenih obaveza. Nije to morao biti ni roman, ni esej, ni znanstvena rasprava, niti je knjigom autor kanio braniti ono što je bio i što je radio tokom profesionalne karijere. Sve je već, više ili manje, bilo gotovo, i sve je ovisilo o talentu i o čovjekovu karakteru. I tako se, onda, među šaljivim, ali vrlo životnim i sadržajnim fragmentima o popravcima kuće, uvođenju centralnog grijanja i kupovini Renaulta 4, nađe fragment koji priča priču iz 2005, o unuci Ivi Katarini, koja, hodajući s djedom od kuće do škole, otkriva Boga i postavlja prva, u životu najvažnija, a možda i najsadržajnija teološka pitanja. Vrijedilo je, doista je vrijedilo, u životu imati djeda, koji bi to zabilježio.

Jesenas sam, godinama nakon izlaska ove neobične i meni važne knjige, poštom, na adresu redakcije, dobio još jedan njezin primjerak. Iako sam, čitajući popratno pismo, pomislio da se radi o nesporazumu, još jednom od onih na koje nemam utjecaja, premda se tiču moje osobe, dragocjena mi je bila prigoda da se još jednom podsjetim na »Zrnca životnoga mozaika«, a onda i da to zapišem. Dugo sam razmišljao kome da poklonim knjigu viška, jer ne volim kada su mi dvije iste knjige u kući — stvara mi to gužvu u glavi, i na kraju sam odlučio da je odnesem u Knjižnicu Vjekoslava Majera, u Zapruđu, gdje i inače odnosim knjige koje su mi višak, ili za koje mislim da bi bilo važno da ih netko slučajno otkrije. Poslije sam, na Profilovoj recesijskoj rasprodaji, ugledao još nekoliko primjeraka, žutih korica, s dragim crtežom na naslovnici, najelegantnijih knjiga u čitavoj knjižari, pa sam neko vrijeme stajao sa strane i gledao hoće li ih netko primijetiti, uzeti u ruke, prelistati, kupiti... A onda sam nastavio svojim putem. Ne može se ljude na silu usrećiti, ni opametiti. Možeš samo govoriti o onome što je tebi važno, što ti je ispunilo dan, uselilo se u sjećanje i život ti tako učinilo dužim. Recimo, o kućama čiji vlasnici nisu nadogradili kat, jer bi se s tim katom ugasilo sjećanje.

# Marin Carić, otok za jednog čovjeka

Onoga vremena, na prelazu milenija, slabo se sjećam. Ustvari, malo toga pamtim iz svih tih godina, od kraja rata do 2003. ili godine zatim, koje kao da sam prolio niza stranu, čekajući uzaludno da se život nakon rata jednom nastavi. Ali živo se, recimo, sjećam jedne kazališne predstave. U zimu 2000. na 2001, u predvorju Kerempuha, odigrana je duodrama »U sjeni Green Hilla«, po tekstu Joška Božanića i režiji Marina Carića, koji premijeru, održanu 3. prosinca u Komiži, nije doživio. Umro je istoga dana u Zagrebu.

U toj maloj, mobilnoj predstavi, koja je mogla igrati u svakome, i najmanjem provincijskom domu kulture, na čiju pozornicu stanu stol i dvije stolice, glumili su Ljubomir Kapor i Ivica Vidović. Na njegovanom i hermetičnom viškom dijalektu, njih dvojica su u sjajno postavljenom dijalogu pričali priču o tuđini i o nemogućnosti povratka u zavičaj. Za hrvatske prilike, bio je to rijetko jednostavno napisan tekst, melodrama čije se melodramatičnosti nisu sramili ni pisac, ni redatelj, a koja je, bez obzira na jezičnu barijeru — ili privid jezične barijere, jer svi hrvatski jezici uz malo truda, dara i znanja mogu biti razumljivi govorniku jednoga hrvatskog jezika — imala neku univerzalnu razumljivost. S jednakom kompetencijom i uživljavanjem, »U sjeni Green Hilla« mogli su gledati i nepismeni seljak i preučeni akademik. Takvu predstavu mogli su, na žalost, igrati samo Ivica Vidović i Ljubomir Kapor.

Sjećam se kako sam izlazio iz Kerempuha, kao stranac među nekoliko desetina, ili koju stotinu otočana, koji su na predstavu došli kao na požalenje. Bile su to najneobičnije karmine kojima sam prisustvovao, ali i jedna od najljepših predstava koju sam u Zagrebu vidio. Baš zato što je bila jednostavna i što je tako sigurno stajala na glumačkome daru dvojice ljudi i na snazi dramskoga teksta. Deset godina kasnije, živ je još samo pisac, viški i splitski entuzijast i profesor Joško Božanić. Onome tko pokuša obnoviti predstavu »U sjeni Green Hilla« ostali su samo stol i dvije stolice. I ono što se događa nakon završetka priče.

Redatelja Marina Carića nisam poznavao. Još prije rata, u Sarajevu, čitao sam »Otok«, njegovu jedinu proznu knjigu, i jako mi se svidjela. Bila je to ona vrsta ispovjedne proze, zavičajne razglednice, kakvu su mnogi pokušavali ispisati, ali bi rijetkima išlo. Kako je izrazito osamljen u kontekstu naših književnosti, »Otok« nije mogao ostaviti dubljega traga. To je knjiga koja se, vjerojatno, čuva u nekim hvarskim i starigradskim kredencima, među servisima za slatko i među kristalom, ali za nju ne znaju po privatnim i javnim bibliotekama u prijestolnici. Prvi put objavljena je 1977, a drugi put prije nekoliko mjeseci, o desetoj godišnjici autorove smrti. Ponovo sam je čitao, i jednako je svježa i živa kao što je bila u ona doba. Za rijetke knjige, a bogme i za rijetke ljude, takvo što bi se moglo reći.

Prvih dana svibnja, ove 2011. godine, u knjižarama se pojavila monografija Marina Carića. Knjigu je uredio Hrvoje Ivanković, i sastoji se od četiri dijela: osobnih sjećanja na redatelja, profesionalnih opaski na njegovo djelo, Carićevih kazališnih zapisa i, na kraju, popisa njegovih režija. Knjigu sam kupio, jer su me zanimala osobna sjećanja. To je ona vrsta tekstova koji nam, obično, manje kazuju o pokojniku, a više o živima, o njihovoj taštini, književnom talentu, karakteru i poniznoj vještini da se nekoga portretira. Na kraju, iz takvih tekstova saznajemo kako je nekome bilo među ljudima, kolike je ostavio za sobom i ima li ikoga tko bi ga se, ali zaista, sjećao. Da bismo se naglas sjećali drugih, pored različitih imaginativnih vještina i znanja, pored mašte i uobrazilje, koje nam pomažu da se sjećamo i nečega čega se zapravo ne sjećamo, potreban je taj lijepi i Bogom dani dar smanjivanja sebe samoga, da bi onaj drugi, još i pokojni, kojemu je oduzet glas, mogao nanovo živ biti i živ rasti. Za čovjeka to je jedan od važnih moralnih ispita, na kojemu ako padne, neće biti nikoga tko bi mu to mogao uzeti za zlo. Onaj koji bi, možda, nešto i zamjerio, mrtav je definitivno i zauvijek. Samo vjernici, koji strepe pred budućim susretima na drugome svijetu, i dobri pisci, koji razumijevaju što čovjek dobiva smanjujući se pred drugim, živo i tačno pišu o svojim pokojnim prijateljima.

Slučaj Marina Carića zanimao me je, jer je očito bio društven čovjek, mnogima učitelj, a ponekome i učenik, suputnik svakako, u kojekakvim vremenima i okolnostima. Također, protagonist i žrtva različitih društvenih, političkih i estetskih moda, što je, pak, svojstveno svakome aktivnom redatelju. I kako već biva, u monografiji se, među okašnjelim kondolirima i kavalirima, našlo ljudi od svake vrste poneki. Ali ukupno gledajući, čini se da je — viđeno ovako iz nadgrobne perspektive — Carić, ipak, imao sreće i da je, od jednoga, ili od trojice–četvorice njih, možda, bio voljen. A samo je o tome, ustvari, riječ.

Što je za redatelja iznimno važno, jedan od te trojice–četvorice, i to onaj koji se mogao smanjiti do veličine zrna prosa, onaj koji je, ali zaista, umio biti najmanji Carićev brat, pisac je Mate Matišić. Rijetki su u nas redatelji koji su imali svoga pisca. Možda takvih i nema, a ne zna se zašto: jesu li hrvatski dramski pisci uglavnom mrtvi čim postanu dramski pisci, ili hrvatskim kazališnim redateljima pisci ne trebaju, jer uglavnom režiraju glumce i scenografiju, a ne tekst? Na ovakva pitanja odgovora nema. Niti je važno da ih bude. Osim ako ne želite za okruglim stolovima raspravljati sa sebi sličnima o nečemu na što odgovor nećete naći, pa da se oko istog pitanja nalazite i sljedećih godina, sve dok jedni drugima ne počnete pisati tekstove u posmrtnim monografijama. Katkad blago ljubomorni, jer ste u podređenoj ulozi, pa pišete o mrtvome drugu, umjesto da on piše o vama.

Elem, golemi je kompliment Marinu Cariću to što je do groba i preko groba imao svoga pisca. On mu danas priznaje i da ga je učio i naučio pisati, ali to nije važno — to je više ilustracija Matišićeve ispravnosti, nego Carićevih zasluga — važno je da mu u nedugom tekstu, u nekih možda petnaestak novinskih kartica, Matišić oslikava portret, u kojem su jednako i njegov život, i najintimniji, smrtni čas. U toj nježnoj priči o odnosu učenika i učitelja, a zatim prijateljstvu dva odrasla muškarca, u kojoj su obojica introvertirani, svaki na svoj način sjebani, jedan zaista veliki hrvatski pisac svoga mrtvog druga, pokojnoga kazališnog redatelja, nanovo čini velikim. Sudbina kazališnih redatelja je takva da samo za života imaju po čemu biti veliki. Kada umru, više ih nema, ako nisu imali svoga Matu Matišića.

Monografija Marina Carića lijepa je i pametna knjiga. Hrvoje Ivanković uredio ju je zanatski pažljivo i građanski uredno. Sućutno, reklo se. S uživanjem može se čitati raskošnoga Božidara Violića, ali i finu poniznu crticu Marija Kovača, staroga Brešana u ulozi Carićeva gimnazijskog profesora, i Carićeve hvarske vrsnike, kazališne entuzijaste... Puno je tu imena, korisnoga i važnog teksta, ganutljivih fotografija, dokumenata jednoga nedavnog vremena. Ali ne kupuju se zbog toga ovakve knjige. Barem ih ja ne kupujem. Kazalištem se ne bavim, a Marina Carića, kao što rekoh, nisam poznavao. Iako sam upamtio, i volim, jednu njegovu predstavu.

Ovakve knjige kupim ne bih li u njima našao odgovor je li neki čovjek s razlogom živio. I obično odgovora nema, jer suvremenici, prijatelji i rodbina, ne znaju ga naći. Mrtav je Marin Carić doživio tu sasvim iznimnu posmrtnu počast da mu pisac napiše tekst kojim bivaju opravdane i obrazložene njegove kratke pedeset tri godine. I da zatim za njim privatno žale i oni koji ga nisu poznavali.

Pjesma može mijenjati ton, u skladu s kontekstom. Ako je pjesma dobra, a pjesnik odgovoran. Tako je jedan svoj tragikomičan song iz predstave Cinco i Marinko, Mate Matišić preveo u tužbalicu za Marinom Carićem:

Moj tabutu
meki krevetu
kad u tebe
legnem ja
sve brige
i svi jadi
dočekat će
zavik kraj

Moj tabutu
vični krevetu
nemoj biti
meni tvrd
ako život
nije moga
nek mi bude
lipa smrt
lipa smrt.

# Nikola Ristanovski, Leone Glembay u Beogradu

Posljednjeg dana zime, u predvečerje, žurimo Svetogorskom, bivšom Ive Lole Ribara, dok po nama sipi sitna kiša, ona koja i jest i nije kiša, pa kišobran nismo ni ponijeli. Došli smo u Beograd samo zbog Glembajevih. Sačekali smo da predstava sazrije (premijera je — prema zagrebačkim red carpet izvješćima — održana još 4. veljače) i da se raziđe sva prigodničarska publika, naročito ona glembajevske zavičajnosti, pa da vidimo ono što je, ovako ili onako, šire i važnije od same teatarske priredbe i uprizorenja jednoga, svakako važnog dramskog komada. Došli smo vidjeti što su Glembajevi danas, 2011, što nam znače i kako ih samjeravamo s vlastitom stvarnošću, dok se Hrvatska nervozno vrzma i vrpolji po čekaonicama Europske unije, kao okašnjela udavača koja čeka da joj iz čeljusti povade sve, u paradentozi isplivale, preostale zube. I nije nam, naravno, važno što se radi o beogradskoj predstavi, jer hrvatski smisao Glembajevih nije u uprizorenju, nego u tekstu i u živome svijetu, što ga je Krleža evocirao 1929, na samome početku Šestojanuarske diktature, kojom je jedan kralj poželio ukloniti sve posrednike između sebe i svojih podanika, u vrijeme kada je počinjala svjetska ekonomska kriza, koja će stvoriti konačne uvjete za bujanje fašizma i konačno uništenje multikulturalne europske provincije. Je li taj svijet živ osamdeset i dvije godine kasnije, postoje li Glembajevi i postoji li kultura iz koje su oni nastali, prepoznaje li se društvo čiju je kritiku Krleža ispisao, ili su Glembajevi danas, u Hrvatskoj, bajka, ili nekakav socijalno angažirani, komunistički fantasy, Vampirski dnevnik za odrasle?

Režiser Jagoš Marković postavio je predstavu na način na koji se đacima i zainteresiranom građanstvu prezentira školska lektira. Snobovi i razni insekti s intelektualnim ambicijama rugat će mu se po novinama. Naročito oni koji se preko Bajakova budu vraćali u domovinu, slavodobitno kličući kako su Srbi opet promašili celog Krležu. Istina je, međutim, da su ovakve, u osnovi konzervativne, uredne i simetrične predstave, mjera svakoga ozbiljnog kazališnog i kulturnog mainstreama, ali i da Krležu u Beogradu, nakon godina sumnje i šutnje, i nema smisla drukčije postavljati, nego tako da ga se, kao u boljem krojačkom salonu, premjeri i izmjeri u bokovima i u struku, vodeći računa o dužinama rukava i nogavica. Premda nije istina da Krležinih uprizorenja u Srbiji i u Beogradu nije bilo dvadeset godina, kao što se, valjda zbog senzacije, pisalo po zagrebačkoj štampi, činjenica jest da štošta s njim Srbi započinju otpočetka. Važno je, iz nekih hrvatskih razloga, naći se na tom početku.

Markovićevi Glembajevi dvosatna su jednočinka, tako srezana i skraćena da se Leone Glembay našao u središtu priče. Ovo je njegovo sudbinsko finale, njegov slom i njegova katarza, u kojoj su svi drugi, uključujući i staroga Glembaya i njegovu mladu i plitku ženu, već pomalo nalik kulisama, životnim i kazališnim. Oko njega su nositelji funkcija i ideja, plakati amoralnog sadržaja, sjene lopova i prevaranata, a on se među njima ponaša poput kakvoga novovjekog Hamleta, koji je, u odnosu na društvo i društvena pravila, samo ludi nasljednik, kroz čiju će se dušu slomiti jedan porodični imperij. U jednoj ljetnoj noći 1913, časak pred Prvi svjetski rat, odvija se drama čija je metafora 1929. morala biti svima jasna — pa i cenzuri upravo nastale Kraljevine Jugoslavije, ali što u današnjoj Hrvatskoj metaforizira ljetna noć 1913? Možemo li barem razumjeti njezino nekadašnje značenje? Jer ako ne možemo razumjeti i ako nismo u stanju metaforizirati, Glembajevi su u hrvatskoj kulturi todorićevski zaslađena konzumna bajka o princu koji makazama prikolje zlu maćehu, što je, samo po sebi, možda, zabavno čak i za Pogorelićevu hripljuću zagrebačku publiku, ali s Miroslavom Krležom nikakve veze nema.

Leonea glumi Nikola Ristanovski, Makedonac, podrijetlom negdje iz Egejske Makedonije, koju Slaveni izgubiše baš negdje oko ljeta 1913, veličanstven i moćan glumac, koji je u stanju na svojim leđima ponijeti cijelu predstavu. On je doista Leone Glembay, upravo onakav kakvog ga je napisao veliki pisac, i na kakvog se, obično, zaludu čekalo, jer je malo glumaca koji bi shvatili što se od njih u tom liku traži, pa da još imaju i dara za odigrati toga zlosretnoga hrvatskog princa, nedarovitog slikara i očajnog moralista, čiji je zadatak da istodobno oličuje porodični, društveni i lični slom. Uostalom, dok iza Hamleta stoji jedna velika europska pripovijest i globalna metafora, oko čije se postojanosti brine cjelokupna europska kultura, Leonea pokušava objasniti i prispodobiti jedna malena, mutna i neizvjesna hrvatska kultura. Njoj je Nikola Ristanovski svojom glumom učinio golemu uslugu.

Boris Cavazza staroga Ignjata Glembaya igra u nekoj svojoj, odavno postavljenoj i učvršćenoj maniri, i za razliku od drugih aktera, ima povremenih problema s jezikom predstave. Ostali govore savršen Krležin hrvatski, u intonaciji, a pogotovu akcentima, tačniji od govora koji nam demonstrira golema većina zagrebačkih glumaca. Svetozar Cvetković, kao Silberbrandt, maestralan je u ulozi klerikalne hulje: njegove grimase i geste, njegove intonacije su kao da je u pripremi predstave nazočio sastancima Hrvatske biskupske konferencije, ili je, barem, redovito pratio Informativni i Religijski program HTV–a.

Jelena Đokić divna je kao sestra Angelika, veteran Vlastimir Đuza Stojiljković klasični je Fabriczy, dok je Anica Dobra, kao barunica Castelli, vjerojatno plića nego bi, prema Krležinoj zamisli, te u ritmu i smislu teksta, trebala biti. Na kraju, Leone će ju ubiti kao kakvu jadnu i priglupu starletu, kurvicu kojoj bi, da se rodila stotinjak godina kasnije, tabloidi objavljivali romansirane ispovijedi, pa ih prodavali po kioscima kao novu hrvatsku prozu, dostojnu Virginije Woolf. I premda je sasvim legitimna takva Markovićeva redateljska zamisao, koju je Anica Dobra korektno provela, teško je povjerovati da bi Leone jednu takvu žensku ubio.

Ništa u beogradskim Glembajevima nije modernizirano, aktualizirano i motorizirano. Ništa nije udešavano tako da publika misli kako se sve to događa u naše vrijeme, ili kako je u našem vremenu moguće. Pisac nije predstavljen kao prorok naših dana, niti su se glumci našli na usluzi kakvoj estetskoj avangardi, bilo redateljskoj, bilo kritičarskoj. Svi su se, zapravo, samo predali starome Krleži, vjerno mu i pokorno služeći od početka do kraja predstave. I jesmo li onda dobili odgovor na pitanje zbog kojega smo putovali u Beograd? Postoji li danas kultura iz koje su Glembajevi napisani, postoji li društvo koje bi stajalo u kontinuitetu s društvom o kojemu drama govori?

Po povratku u hotel, još jednom smo prošli pokraj Krleže, pokraj njegove velike, lijepo osvijetljene crno-bijele fotografije, koja visi na hodniku, u spomen galeriji kojom se obilježava povijest Majestica. Veliki hrvatski i jugoslavenski pisac je, kao redoviti hotelski gost, važan akter te povijesti. On je, na putu prema recepciji, nezaobilazna kulturna činjenica, besmrtan kao što je besmrtno sjećanje zrelih i odraslih društava. Glembajevi u Ateljeu 212 svjedočenje je o zrelosti i odraslosti današnjega srpskoga društva i kulture. Ta zrelost i susjedima, možda, daje odgovore na neka njihova pitanja. I to se onda pretvara u onu vrstu kulturne hegemonije, koja, bez obzira na veličinu i bogatstvo neke kulture, razlikuje velike od malih. Branislav Nušić, recimo, ili Jovan Sterija Popović, ne igraju, i još dugo neće, na hrvatskim pozornicama. Razlog više nije politički, nego je praktični i tehnički: presitni smo da bismo znali tko su ta dvojica. A i tko bi u Zagrebu, koji glumci, bio u stanju govoriti Sterijinim, pa i Nušićevim jezikom? U kulturi, naime, nema reciprociteta, niti ima smisla na reciprocitetu insistirati. Postoje samo zreli i nezreli, daroviti i nedaroviti, odrasli i nedorasli...

U Beograd smo, naravno, išli za svoj račun. Tako je najbolje. Sve drugo bi u Hrvatskoj u današnje vrijeme bilo preskupo. Nitko meni ne može platiti Krležu. A od neki dan, bogme, ni Nikolu Ristanovskog.

# Đuza Stojiljković, novi Moreno Debartoli

U jednome martovskom broju, ove 2011. godine, sarajevske su novine objavile vijest da se, nakon dvadeset godina života i školovanja u Izraelu i širom Europe, u Sarajevo vratio Moreno Debartoli. Akademski kuhar, moj davni komšija s Mejtaša, koji je 1985, u filmu Otac na službenom putu, odigrao dječaka Malika. Bio je to drugi dio porodične trilogije Abdulaha Sidrana, započete sa Sjećaš li se Dolly Bell, koja nikada nije — a vjerojatno i neće — biti dovršena. Scenarist ju je nazvao »Otac je kuća koja se ruši«, a njezine tragove, motive i emocije može se naći u Sidranovim pjesmama i u memoarima koje već neko vrijeme priprema i djelomice objavljuje po sarajevskim novinama, ali — što je pomalo paradoksalno, premda nije neočekivano s obzirom na kompleksan odnos i međusobno urastanje dvije biografije i dva umjetnička opusa — i u politikantski otpisivanoj i opisivanoj memoarskoj knjizi Emira Kusturice »Smrt je neprovjerena glasina«.

Sidranov scenarij za Oca, kao i njegov dramski tekst za kazalište, bio je literarno moćan, ali je imao jednu, gotovo nerješivu manu i falingu: cijeli je stajao na liku koji je mogao odigrati samo glumac mlađi od osam godina, dakle dijete i naturščik. On je trebao na sebi ponijeti i jednu tešku političku priču, koja je tada, u tadašnjem jugoslavenskom filmu još uvijek bila neispričana, i priču o cijelome jednom vremenu i naraštaju, ali i vlastitu ljubavnu priču. Pritom, kako film nije smio biti dječji, morao je biti moćan glumac, koji će se moći nositi s ostalim glumcima, kojem oni neće morati podglumljivati, kao što se to, inače, radi u dječjim pričama. Zadatak koji je scenarist postavio pred režisera bio je nerješiv, jer takvoga glumca, osim Slavka Štimca, koji je već odavno odrastao, nije bilo u cjelokupnoj povijesti jugoslavenskoga filma.

Emir Kusturica je, međutim, pronašao Morena Debartolija, beskrajno darovitoga i plemenitog dječaka, maestralno ga proveo kroz priču, i načinio film koji je u proteklih četvrt stoljeća samo rastao u našim očima i u kolektivnoj gledateljskoj imaginaciji, i već odavno kao klasik europskoga filma narastao do mitskih i mitotvoračkih razmjera. Zasluga je, prvenstveno, redateljeva, premda bi bez Abdulaha Sidrana on bio nemoćan. A njih obojica ništa ne bi mogli bez Morena Debartolija. Kao i svi zaista veliki filmovi u povijesti kinematografije, Otac na službenom putu bio je moguć samo kao djelo onih autora koji su ga i stvarali. Genijalnost je, naime, rijetka pojava, ali i lako prepoznatljiva: genija se ne da zamijeniti.

Oliver Frljić doista je trebao imati hrabrosti, pa se odazvati pozivu Ateljea 212, i na scenu postaviti baš Oca na službenom putu. Tem je tekst opterećen velikim filmom, o kojemu svi znaju sve, jer su ga po nekoliko puta gledali, tem se golootočko djetinjstvo u međuvremenu od žive i vruće priče pretvorilo u historijsku reminiscenciju iz nekih nestalih država, čijih smo se sentimenata kolektivno odrekli, tem Sidranov tekst ima istu onu falingu koju je imao i 1985: nemoguće je naći glumca koji bi mogao odigrati glavni lik...

Za ideju da petogodišnjeg dječaka igra osamdesetdvogodišnji Vlastimir Đuza Stojiljković, svatko lakomislen reći će kako je riječ o zgodnoj i ekscentričnoj dosjetci. Otprilike tako je taj redateljski izbor doživjela publika do vrha ispunjenog Ateljea 212, u subotu 16. travnja, istoga onoga dana kada je u

Splitu zabranjena opera Maršal, pa su se u prvih petnaestak minuta predstave smijuljili kad god bi Đuza progovorio. A onda su zaboravili, čarolija ih je obuzela, i više nisu ni vidjeli starca, nego je pred njima bio dječak. Isti onaj Malik, kojeg je odigrao Moreno Debartoli. Kada bi glumac to htio, priča se pretvarala u staračko sjećanje na djetinjstvo, ali uglavnom to nije bilo sjećanje, nego se sve za njega događalo ovoga časa, ove 1948. godine. Da bi proizvodili takvu vrstu iluzije, redatelju i glumcu nisu dovoljna njihova tehnička znanja i vještine. Nije im dovoljan ni sam talent. Za takvu vrstu iluzije potrebno je ono nešto od čega je kazalište s početka ljudske povijesti i krenulo: potreban je trenutak, i u tom trenutku duboki umjetnički razlog, u kojem će se ljude uvjeriti da se osamdesetdvogodišnji glumac ne pravi, da ne glumi da je dječak, nego on to zaista jest. Oliver Frljić u Sidranovoj je priči pronašao razlog za takvu iluziju, između ostaloga i u činjenici što ona biva pričana nakon što je njezina živa aktualnost istekla, i kada je već postala jedna andrićevski shvaćena povijest i prošlost. Bilo mu je preostalo još samo da nađe glumca koji bi takvo što mogao odigrati. I kao što nam se činilo da je Kusturica pronašao jedinoga, Morena Debartolija, tako je Oliver Frljić pronašao jedinoga, Vlastimira Đuzu Stojiljkovića.

Redatelj je Sidranov tekst nastojao dovesti do visoke scenske stilizacije i izmaknuti ga iz njegovoga realističnog konteksta, kao i iz poetike u kojoj je pisan. Predstava je tako ispunjena songovima, na pozornici je sve vrijeme aktivan mali kabaretski orkestar, scene su usitnjene i fragmentirane, glumci igraju na granici karikature, ili kao strip junaci, u funkciji ideja koje ih vode kroz povijest i kroz njihove privatne živote. To je kod dijela beogradskih kritičara i publike stvorilo krivi dojam da neki od njih loše glume. Oni su samo mehaničke lutke jedne strašne i nerazumljive povijesti, koja promiče pred očima dječaka. Scenska je stilizacija — osim što je dosljedni nastavak

Frljićeva redateljskog opusa — efektna i kao prikaz dječjega pogleda na svijet i stvarnost.

Ali kako priča ide svome kraju, i iz golootočke i političke pripovijesti nekako prirodno, u dramskome tekstu kao i na filmu, prelazi u melodramatičnu ljubavnu priču, kao da se mehaničke igračke počinju izmicati sa scene, orkestar odlazi u pozadinu, a onu dugu i moćnu scenu svadbe, u kojoj se razrješavaju praktično svi porodični odnosi, prekida dječak pucnjem iz ujakovog službenog pištolja, koji prekida i ukida svaku drugu radnju. Tog časa započinje veliki Frljićev finale, ono što pamtimo i kao apsolutni emotivni vrhunac Kusturičinog filma, Malikovog rastajanja od Maše.

Taj dio priče na filmu je bilo teško izvesti. U kazalištu još puno teže. Ali bez toga dijela bio bi iznevjeren smisao Sidranova teksta, njegova veličanstvena životna i književna poanta. Bez te bolne dječje ljubavi, nepodnošljive, kao što emocionalno nepodnošljivom biva svaka tačna priča o djetinjstvu, ni film, ni predstava ne bi imali nikakvog smisla, jer nemaju smisla scenska djela koja o svijetu manje kažu od vlastitih predložaka. Ako bi se neki drugi redatelj dotad nekako i provukao, i ako bismo do tog časa i mogli reći kako je s Morenom Debartolijem takvo što mogao snimiti i netko drugi osim Kusturice, scena rastanka bila je djelo genija.

Oliver Frljić nije ju ponovio, jer ju nije ni mogao, a ni smio ponavljati. Ali prizor u kojem Đuza Stojiljković sjedi na stepenicama i rastaje se s Mašom (djevojčicu naizmjence igraju Nina Raca i Jelena Blagojević), i kasnije drugi, i posljednji u predstavi, kada je sam na sceni zaziva živu, ako je živa, potresni su na način za koji smo, također, vjerovali da je neponovljiv. Kada starac i djevojčica glume par vršnjaka, a publika im do najdublje dubine srca vjeruje, i kada pritom još igraju radikalno melodramatsku situaciju dvoje zaljubljenih, koje će smrt upravo rastaviti, a gledatelj ne posumnja u vjerodostojnost, kako njihovih osjećaja, tako ni i redateljeve umjetničke zamisli, tada mora da mu se pred očima događa neko čudo.

Oliver Frljić nije se uspoređivao s Emirom Kusturicom, jer bi u takvoj usporedbi morao već po samoj naravi žanra biti na gubitku. Osim toga, na gubitku je svaki pripovjedač, a redatelji su pripovjedači, koji sebe uspoređuje s drugim pripovjedačem. To čine samo svojim životnim i kulturnim prilikama ojađeni antitalenti. Ali Frljić je jako dobro znao da će predstavu gledati i publika koja je od njezinog predloška jednom davno načinila mit, i koja većinu ključnih Sidranovih replika zna napamet, i samim tim prihvaća samo jedan način na koji te rečenice mogu biti izgovorene. Za pripovjedača je to opasna, premda i privlačna situacija: kao kada bi netko nanovo pokušao napisati, recimo, Mannovog Doktora Faustusa. Oliver Frljić sjajno je, i do kraja, u tome uspio.

U našim biografijama, u našim privatnim životopisima, u godini 1985. stoji Moreno Debartoli, a u godini 2011. Vlastimir Đuza Stojiljković. Isti je Sidran, isti Malik, ali isto je još nešto, što se može izreći samo u prvome licu i sasvim privatno: petnaestak sam puta gledao Oca na službenom putu Emira Kusturice, i svaki sam put, barem u sebi, otplakao scenu rastanka s Mašom. U kazalištu sam u posljednjih četvrt stoljeća plakao samo jednom, neki dan, u Ateljeu 212.

# Danis Tanović, umijeće stvaranja mita

Zapravo, znam kako me je mimoišlo da vidim Cirkus Columbiju, novi film Danisa Tanovića. Na sarajevsku premijeru nisam stigao, a na onu zagrebačku mi se nije išlo. Nisam htio poslije gledati sve te od jala, jada i ljubomore zgrčene osmijehe, koje više ne bi mogli razbiti ni dobar kiropraktičar, ni vijest o dobitku na lutriji, kako prilaze i čestitaju režiseru, hvaleći mu film, za koji će, čim zamaknu za ugao, reći kako ništa ne valja, jer da je Cirkus Columbia sentimentalna i cmoljava bosanska egzotika jednoga precijenjenog tipa koji je dobio Oskara samo zato što je siroti Bosanac. Zato, kažem, nisam išao na zagrebačku premijeru. Ali, priznajem to, strepio sam i da Tanovićev film, zbilja, ne valja. Strepnja me je, međutim, pustila kada sam u novinama, na stranicama filmske kritike, krenuo čitati sve same mrzovoljne tekstove, pisane kao u nekoj teškoj, višetjednoj, opstipacijskoj krizi. Znao sam da film ne može biti loš.

Tako sam prije nekoliko dana, u jednome kiosku, na Baščaršiji, kupio DVD s Tanovićevim filmom, i s mirom u duši ga pošao gledati. U jednome od prvih kadrova, na jednoj hercegovačkoj, mediteranskoj avliji, kao u kakvome Počitelju ili Ljubuškom, u neki lijep, vedar i čist dan, budi se glavni junak nasred onoga ružnog socijalističkog ležaja, zbaci jorgan sa sebe, i rasanjuje se, dok mu mati izlazi iz kuće, i nešto govori. Ne viđa se baš često, zapravo ne viđa se nikad, u stvarnome životu takav ležaj, sve s posteljinom, a nasred avlije. U stvarnome životu iznenada zna i kiša pasti, pa bi mogli pokisnuti i kauč i spavač, ali takav pomak, ako je dobro i s nekim razlogom učinjen, na filmu, i u filmskome životu, neće smetati. Uostalom, ljeto je, vrelo hercegovačko, i spava se katkad po avlijama, jer je unutra vruće. Osim toga, postelja pod vedrim nebom, a usred grada, sugerira i ponešto od mentaliteta: u tim se hercegovačkim i bosanskim, mediteranskim i orijentalno-mediteranskim čaršijama, gradićima i varošicama, važan dio života, čak i onoga najintimnijeg, događa vani, da se sve vidi i zna. Ili da se sve sigurnije skrije, nego što se uspijeva skriti iza sedam brava.

Ali nije zato Danis Tanović snimio i ovaj kadar i scenu. On je to učinio zbog njegove vizualnosti, a možda i male posvete koja je u nju upisana. Naime, prizor te avlije, sa starinskom dvorišnom česmom i saksijama cvijeća, s fasadom i kaldrmom, obasjan svjetlom vedroga neba, kao da je ukraden sa slika Safeta Zeca. Svako malo će se, kako film bude tekao, kroz njega provlačiti Zecove slike. One će sugerirati ponešto od socijalnog i kulturnog identiteta svijeta o kojemu govori priča Cirkusa Columbije, i stvarat će onaj kontekst, ono neispričano, a važno da bi film bio filmom, čega u ovdašnjim filmovima obično nema niti u tragovima, i po čemu se, uostalom, veliki filmski režiseri razlikuju od malih. Danis Tanović je, naime, veliki filmski režiser. On to nije zato što je dobio Oskara. Ali je i Oskara dobio zato što je veliki... Čudna je to matematika, teško shvatljiva zavidnome svijetu.

Cirkus Columbia film je fascinantne slikovne ljepote i tačnosti, odlične glume i filigranske gradnje likova. Osim što je to jedna intimna priča, i porodična drama, ona zahvati cijeli mali grad, čini nam se — sve njegove stanovnike, pa je teško, gotovo i nemoguće, u Tanovićevom kadru, među tolikim ljudima, pronaći statistu. Svako je lice neki lik, svako igra i postoji sa svojom životnom pričom, koja, možda, neće biti ispričana, ali će biti naznačena taman toliko da se dalje razvije u gledateljevoj imaginaciji, dok gleda film, i poslije, nakon što izađe iz kina (makar to bilo i kućno kino).

Ono što je Emira Kusturicu razlikuje od tog nekog slabog i nemoćnog filmskog svijeta, koji se vrzma po razvalinama jugoslavenske kinematografije, jest i nizanje planova u svakome kadru, i briga da se život ne pretvori u kulisu filmske priče. Danis Tanović virtuozno je ispunio, oslikao i oživio svoju priču, i svaki njezin kadar. To mu, vjerojatno, ne bi bilo drago čuti, iz neki tužnih, izvanfilmskih i neumjetničkih razloga, što su ovladali našim životima, ali Cirkus Columbia ima sigurnost, čvrstinu i mitotvornu snagu kakvu je imao Otac na službenom putu. Napokon, Miki Manojlović je ulogu Divka Buntića odigrao kako nije ništa drugo u posljednjih dvadesetak godina. Mira Furlan bila je ona predratna Mira Furlan, na što su se onda nastavili i mladi Boris Ler, i divna Jelena Stupljanin, i za njima cijela, silna bosanskohercegovačka glumačka galerija, te odlični Milan Štrljić u poslovičnoj ulozi gada i davni Svetislav Goncić, koji je s tačnošću i izvornošću kakvoga naturščika odigrao oficira Savu. Takav siguran, a živopisan kasting nije viđen nakon drugoga Kusturičinog filma.

Naravno, Cirkus Columbia ne može ponoviti internacionalni uspjeh Oca na službenom putu. Ono što je u priči tog filma veliko i važno, dio je neke specifično naše, bolno lokalne i žalosne rasprave o našemu raspadu i o raspadima naših malih čaršija, gradova i varoši. Odlučivši se za Cirkus Columbiju, ali više od toga, za način na koji će svoju priču ispričati, Danis Tanović ne samo da, vrlo svjesno, nije snimao film za strance, nego je morao znati da stranci neće ni shvatiti ono što je u toj priči najvažnije. U vrijeme Kusturičina Oca, naš svijet bio je kompaktan i već dovoljno star i dekandentan (jer je utemeljen

1945.), i sve što smo o njemu mogli reći, snimiti ili napisati, strancima je moglo biti zanimljivo. Zbilja važni filmovi i knjige o ovome vremenu bit će još dugo strancima nezanimljivi (ali neka to ne tješi batinaški zdrug hrvatskih književnih antitalenata, kao ni njihove kinoamatere, jer se ova činjenica odnosi na Tanovića i Tanoviće, a nikako na njih).

Mit koji stvara Cirkus Columbia pripada Hercegovini, i to njezinom pretežitom hrvatskom dijelu. Lik Divka Buntića, emigranta koji se u osvit rata vraća kući, središnji je u lik toga svijeta, i vremena s početka devedesetih. On je jedan od stotina i tisuća takvih hercegovačkih Odiseja. Ali istovremeno, on je duboko tragična ličnost, koja između života, normalnosti, ljubavi, i onoga što će se sutra dogoditi, izabire rat. Ne zato što je ratni huškač, što je žedan krvi ili što je veliki domoljub, nego zato što mu je život vodio takvome kraju. U finalu filma — koji, ipak, ne bi trebalo prepričavati, Divko Buntić pokazao se kao pozitivac, na jedan tako divno neobičan i neočekivan način. U tom je finalu i sav moralitet ovoga poštenoga i čestitog filma.

U golemoj mjeri, Cirkus Columbia teče mimo priče romanesknog prvijenca Ivice Đikića, svojedobno nagrađenog najznačajnijom književnom nagradom zapadno od Drine, tuzlanskim Mešom Selimovićem. Iz knjige su ostali samo likovi, i jedan važni crni mačak. Sačuvana je i atmosfera maloga grada, koju je, istina, Tanović samo malo razvedrio i obasjao svojim čistim okom. U romanu je sve, ipak, bilo tmurnije. Ali čak i da se Ivica Đikić ne pojavljuje kao koscenarist, moglo bi se reći da je njegova knjiga dobila svoj veliki film. Naravno, romanopisci nemaju previše zasluga za dobre ekranizacije svojih djela — čak ni kada su koscenaristi — ali u nas se, na žalost, ne može dogoditi da kakvo jadno spisateljsko djelce dočeka dobar film. Premda bi sa svim tim ljudima bilo lakše živjeti kada bi i to bilo moguće.

U jednom trenutku filma konobar gostu kaže: Iz inata se samo govna jedu. Zbog nečega mi je važno s tom rečenicom završiti ovu priču.

# Vlado Škafar, kako opisati oca

Lijep i sunčan dan, negdje uz rijeku. Otac uči sina da peca. Osnova ribičkog nauka je u strpljenju, u toj vještini dugog čekanja da svaka stvar dođe na svoje mjesto, da se sve okolnosti poklope i da riba zagrize. Film »Otac«, ili po prekmurski »Oča«, ne samo da, dijelom, priča o tom strpljenju, nego i njegova poetika, način na koji redatelj pripovijeda i na koji se slike nižu, insistira na strpljenju. Onako kako se lovi riba, strpljivo, s pogledom koji je dugo usmjeren u jednu tačku, s usporavanjem svake radnje i svih tjelesnih aktivnosti, s mirom koji se u nas, obično i bez razloga, naziva budističkim mirom, isto tako Vlado Škafar razvija svoju priču. Ona je jednostavna. Toliko jednostavna da bi se nekome kome će biti unaprijed ispričana, tek kao ideja za književno djelo ili za film, svakako moglo učiniti kako u njoj ne može biti ni književnosti, ni filma. Nimalo dinamike, nijednog dramaturškog obrata, minimum događanja, i sve to uokvireno jednim općepoznatim sižeom, naznakom priče koja se po tisuću puta događa tisućama očeva i sinova.

Otac i majka su rastavljeni. Njihovi odnosi, saznajemo to kroz naznake, nikako nisu dobri. Ovo je rijetka prilika da se dječak nađe s ocem, i trebalo bi je iskoristiti da se kaže nešto važno, nešto što će trajati do sljedećega, neizvjesno dalekog, ponovnog susreta. Nešto što bi moglo učvrstiti njihov odnos, ali i što bi razjasnilo sve ono što između njih dvojice neizrečeno stoji. Otac misli da sin ne zna, pa bi mu nešto, nekako htio reći. No, ono što bi rekao, uglavnom je neizrecivo, jer ne počiva u riječima, nego je dio vremena koje ljudi, očevi i sinovi, provedu jedni s drugima, ili vremena za koje ostaju uskraćeni. Otac bi da kaže sve ono što je mislio dok su bili razdvojeni, ali ni to ne ide. Većina onoga što je u stanju izgovoriti, i što izgovara za vrijeme tog njihovog dugočasnog pecanja i dokoličarenja uz rijeku, nevažno je u poređenju s onim što bi on zaista želio reći. Većina onog što kaže tek je najava nečega drugog, nečega što, međutim, nije u stanju reći. Vlado Škafar napravio je film koji je sasvim zasnovan na dijalozima, ali u kojem sve ono što je u tim dijalozima doista važno ostaje neizrečeno. Teško bi bilo sjetiti se nekoga jugoslavenskog i postjugoslavenskog filma u kojemu se ovoliko razgovaralo šutnjama, aluzijama, slutnjama, riječima koje gledatelj nije mogao čuti. Općenito, od vremena Andreja Tarkovskog, na zapadu (a zapad je u ovom slučaju sve što je zapadnije od Kine i Koreje) u nekom se filmu nije toliko razgovaralo neizgovorenim riječima i u tako mirnoj i sporoj izmjeni slika i prizora.

Tek na kraju filma dogodit će se nešto šokantno, nešto što Tarkovski sasvim sigurno ne bi učinio sa svojom pripovijesti, ali što je, istovremeno, savršeno logično i u skladu s ispripovijedanim, te što na doista genijalan način produbljuje poetiku Vlade Škafara i nadograđuje onaj dio priče koji se dogodio neizgovoren i nepokazan, ali ipak postoji u filmu i u gledateljevom doživljaju. Taj grandiozni i potresni finale, koji ne bi bilo pristojno prepričavati onima koji film »Otac« nisu gledali, kontekstualizira dugi, ribički razgovor između oca i sina, a privatni očaj pretvara u očaj cijele zajednice, u cijelu orkestraciju pojedinačnih ljudskih glasova, usred jednoga od onih ceremonijala povijesne banalnosti, kakva je i ta naša i slovenska duga tranzicija iz jednoga ideološkog stanja (i sranja) u drugo ideološko stanje.

Vlado Škafar slovenski je filmski entuzijast, redatelj kratkih i dokumentarnih filmova, rođen 1969. u Murskoj Soboti. Osim što mu je »Oča« prvi dugometražni igrani film (ili srednjemetražni, jer traje rubnih 70 minuta), to je, na neki način, i njegov zavičajni film. Odigran je na prekmurskom dijalektu, koji predstavlja priličan odmak od slovenskoga standarda. Sa Škafarom sam se u kinematografskom mraku prvi puta sreo prije šest–sedam godina, kada sam, kao član žirija slovenskoga nacionalnog filmskog festivala, gledao njegov dugi dokumentarac »Peterka — Leto odločitve«, jedan na svoj način lijep, pomaknut i luckast film o slavnome skakaču i letaču na skijama Primožu Peterki. Zabavio sam se tada, a čini mi se da smo Peterku i nagradili, iako taj film baš i nije svugdje bio dočekan s oduševljenjem. Naime, ljudima je znalo zasmetati što je Škafar o svome junaku pripovijedao na način koji je njemu samom bio odveć blizak. Blago kazano: o nekonvencionalnom Primožu pripovijedalo se na primoževski način. I sve je jako dugo trajalo. Bio je to jedan od onih filmova koji se gledatelju svide, ili su mu sasvim negledljivi. Meni se, sjećam se, svidio, ali baš nikada ne bih u filmu »Otac« prepoznao film »Peterka — Godina odluke«. Jedino što je ovim filmovima zajedničko jest redateljeva potpuna beskompromisnost i hrabrost u insistiranju na svome pripovjedačkom stilu (ili bi se prije moglo govoriti u množini — stilovima). Vladu Škafara kao da doista nije briga što će tko misliti o njegovim filmovima, hoće li se, recimo, ubiti od dosade i hoće li išta razumjeti. Ni u jednom, ni u drugom filmu nije učinio ništa da se dopadne, a u oba slučaja riskirao je baš sve. Dok je u Peterki rezultat bio polovičan — možda bi bio uspješniji da se barem malo kurvao — film »Otac« potpuni je trijumf.

Taj mali i čudesno jeftini film (za novce za koje Škafar snima film, geniji iz HAVC–a ne ustaju iz postelje) 2010. prikazan je na Venecijanskome festivalu, u Tjednu kritike, gdje je dočekan s pohvalama, ali što je puno važnije, i s razumijevanjem. Venecija nije mjerilo umjetničke vrijednosti, kao što mjerilo nisu ni Cannes ili Berlin, ali važno je, ipak, znati da na velikim festivalima prolaze i tako zatvoreni, meditativni, spori i pametni filmovi, pod uvjetom da su dobro i dosljedno načinjeni i da je uvjerljiva i autentična priča koja je u njima ispripovijedana. Samo se lopuže, antitalenti i bolesni patrioti tješe kako postoje neki dobri filmovi, koje, eto, inozemni gledatelji, kritičari i selektori velikih i malih festivala nisu u stanju razumjeti.

Zasnovan na jednostavnoj priči i na sjajnoj glumi dva jedina lika (nisu baš jedini, ali...), odrasloga Mikija Roša i dječaka Sandija Šalamona, »Oča« je film koji gledatelja, barem za djelić mjere, pomjeri iz njegove životne putanje, potrese ga, uzdrma, učini mu ono što je, zapravo, zadatak književnosti, ako književnost trpi zadatke, i zbog čega priče, ispričane naglas, napisane ili snimljene, zapravo oduvijek i postoje. Možda je smisao holivudskoga pripovijedanja da gledatelja zabavi, ali osim što je produkcija takve zabave i bogatijim Europljanima nedostižno skupa, jadnom se čini već i sama ambicija da se zabavljaju oni koji čekaju na svoju priču. Nedostojno je praviti budale od izmučenog i ojađenog svijeta, bilo da je riječ o onima koji su pali kao žrtve tranzicije ili onima koji su stradali u neuspjelim brakovima. Tabloidi, kao i domaći kung fu spektakli i domoljubne limunade, služe samo tome da se narugaju sirotinji. To im je upisano već u žanr.

Potresao me je »Otac« Vlade Škafara, kao da je moj rođeni. Žao mi je, istinski mi je žao, što su hrvatski očevi tako jadni i mondeni. Kao u onoj otrcanoj narodnoj o žapcu koji je vidio da se konji potkivaju...

# Milomir Kovačević Strašni, život za fotografiju

Izložba fotografija pod nazivom »Bilo jednom u Petit Trou de Bretagne«, Milomira Kovačevića Strašnog, otvorena je jednoga od onih posljednjih ledenih zimskih dana, 2. ožujka 2011. Dok smo se penjali prema Gornjemu gradu, uz sablasno puste bedeme, osvijetljene mutnim i žmirkavim žaruljama ulične rasvjete, naslijeđene iz socijalizma, pored pustih drvenih klupa i Kožarićevog Matoša, odozdol se, od Varšavske — posred koje će, nekoliko dana kasnije, zijevnuti kaverna Horvatinčićeve garaže — čulo brujanje mase i skandiranje »izdaja, izdaja«. Dolje su, valjda, bile sve televizijske ekipe, novinski fotografi i Karamarkovi žbiri, pa nam se ovo uspinjanje, prema kuli Lotrščak, činilo smirujućim i nekako utješnim. Ako u narednih pola sata, a bilo je oko šest i petnaest, nastupi kozmička kataklizma, biblijski smak svijeta ili iznenadno razvrstavanje i postrojavanje svih duša, živih i mrtvih, mi ćemo se naći na drugoj strani. Svejedno koja je bolja — jer u ljudskoj predodžbi, pa čak i kraja svijeta, uvijek je nešto bolje od nečega — mi nećemo ići tamo kamo idu oni. I to nam se činilo utješnim. Mi smo bili oni koji su pošli na izložbu Milomira Kovačevića Strašnog, reći ćemo, ako nas tko bude pitao. Ali nije se dogodio nikakav smak. Čak nas ni policija nije zaustavila na prilazima Gornjem gradu. Žbiri uvijek jave kuda se i kamo kreće masa. A mi nismo bili masa.

Galerija Lotrščak, u kojoj se obično postavljaju izložbe fotografija, jedna je od najljepših, a sigurno je najzačudnija zagrebačka galerija. Kula na više katova, nezgodna za one koji se plaše visine i zatvorenog prostora, uz koju se penje kao na zvonik, crkveni toranj ili minaret. Strašni je tu, na tri kata, izložio niz crno-bijelih slika, snimanih tokom vremena u jednome pariškom baru (kafiću ili — kako autor kaže — kafanici). Na slikama su stalni gosti i slučajni kafićki prolaznici, vrlo šarolika, socijalno i intelektualno nesravnjiva galerija likova, različitoga porijekla i starosti. Fotograf ih je lovio u različitim raspoloženjima, vedre, mračne i depresivne, ali ih, uglavnom, nije slikao potajice. Većina njih pozira, a u tom njihovom poziranju ima i nečega što se rijetko vidi i osjeti na izložbama fotografija: naime, sva ta lica izgledaju, svi ti ljudi se drže kao da fotografa dobro poznaju. Nešto mu govore, obraćaju se, imaju izraze kakvi se ne pokazuju strancima. Kada ih gledamo tako zajedno, na jednome mjestu, najednom shvaćamo kako pred sobom nemamo slikovnicu, ili vizualnu analizu, bara kao javnog prostora. To mjesto je, naime, privatno, i privatni su svi odnosi među ljudima. Kafanica je slikana kao dom čitavoga jednog svijeta.

Kad bi moglo biti tako da ne znam o kojem je fotografu riječ, i da je moglo biti tako da mi netko pokaže ovu izložbu, i ne kaže mi ni tko je, ni odakle je, iz kojeg je vremena i iz koje zemlje čovjek koji je ovo snimio, ja bih svejedno znao da se radi o Milomiru Kovačeviću Strašnom. Nije tu riječ o neobičnim kutevima snimanja — tu je Strašni vrlo konzervativan i uredan, nalik mnogim snimateljima svoje i niza prethodnih generacija — nema tu ni insistiranja na grotesknim ili neobičnim fizionomijama — Strašni je pristojan i dobar čovjek, koji svoje ljude ne dijeli na lijepe i ružne — a bogme nema ni korištenja specijalnih objektiva, filtera ili rasvjete koja bi činila razliku — Strašni je preozbiljan fotograf da bi se takvim štosovima služio. Ne znam možete li mi vjerovati, jer doista, priznajem, zvuči nevjerojatno, ali da nisam znao tko je ove slike snimio, autora bih prepoznao po očima ljudi, prepoznao bih ga po načinu na koji su ga gledali. I po nečemu što je, samo na prvi pogled, još važnije: po njegovome načinu da ljudsko lice gleda, a da sam nije fasciniran činjenicom da ga gleda kroz objektiv. Milomirovo oko, doista, vidi isto što vidi i njegov objektiv. I onda neki obični ljudi njemu tako prirodno poziraju.

Milomir Kovačević Strašni rođen je u Sarajevu, prije već pedesetak godina. Osamdesetih bio je fotografski kroničar toga grada. Snimio je sve ono što se dogodilo. Ono što nije snimio, toga nije ni bilo. Golemi dio njegove fotodokumentacije u ratu je izgubljen. Golemi dio je sačuvao, i sa sobom odnio u Pariz. Ono što je izgubljeno, to je i zaboravljeno. Prije nekoliko mjeseci u Sarajevu je priredio monumentalnu izložbu pod naslovom »Strašni izbori«, o prvim višestranačkim izborima u Bosni. Bio je to jedan od onih, tako rijetkih umjetničkih događaja koji utječu na način na koji neko društvo percipira i reflektira samoga sebe. Način na koji je slikao predizbornu kampanju i sve što ju je pratilo, uključujući i plakate po zidovima, istovjetan je načinu na koji će petnaestak godina kasnije slikati svoju omiljenu parišku kafanicu. Ne može fotograf fotografirati svijet s kojim nije potpuno sljubljen i intimiziran. Tog se načela Milomir Kovačević Strašni samurajski drži.

U ratu je, pored svega što se u ratu snima, Strašni lunjao Sarajevom i po kancelarijama, u razrušenim zgradama, na kojekakvim čudnim mjestima, tražio one ceremonijalne slike druga Tita, i fotografirao ih u njihovom novom kontekstu. O, kako li je tek to moćna izložba! O, kakav li je tek to nevjerojatno prožimajući i dubok komentar raspada Jugoslavije i jugoslavenskoga socijalizma! Ne, neću sad reći da je i Tito s tih razbijenih slika u Milomira gledao s prepoznavanjem, kao u nekoga svog.

Zatim, serijal iz 1992, strašan i tužan, na kojemu je jedan od prvih uhvaćenih masovnih zločinaca bosanskoga rata. Jedan običan, jadan i opustošen mladić, ubojica koji je nalikovao nekom tupom i dobroćudnom portiru na nekom prigradskom stovarištu ugljena. Milomirove fotografije iz ovoga ciklusa perfektna su psihološka analiza, poput kakvoga veličanstvenog i nenapisanog romana o bosanskome ratu, koja ne oduzima ništa od strahote zločina, ali u potpunosti pokazuje izgubljenost i tugu zločinca.

Poznajem još barem desetak velikih ciklusa, unaprijed gotovih izložbi i mogućih monografija ovog fotografa. Uz njega sam, uz njegov objektiv i džemper, uz njegovu sjenu sam odrastao. Strašni je jedan od rijetkih ljudi pri čijem spomenu imam djetinjastu potrebu reći — on mi je prijatelj. Dopušteno je to reći, kao što je dopušteno o prijateljima u knjigama i novinama pisati, jer, napokon, ništa nas u sudnjemu času, pred Bogom i pred umjetnošću, neće toliko razotkriti kao naša preostala prijateljstva. Konačno, njima smo, prijateljima, pokušavali biti nalik, pa smo u tim pokušajima, na kraju, i postalo ovo što jesmo. Recimo, stalni gosti jedne pariške kafanice. Ili stalni gosti džez bara Zvono, koji je držao Vedran Muftić, umjetnički njime ravnao Saša Bukvić, a fotografirao Milomir Kovačević...

»Bilo jednom u Petit Trou de Bretagne« ciklus je fotografija koji je mogao nastati samo ako se za njega žrtvuje sav svoj živi život. Da ga je bilo izvan te kafanice, da je obavljao svoje dnevne rituale poput drugih ljudi, da se ženio, rađao djecu, išao na tržnicu, da je bio patriot, da je mrzio i da se obračunavao s drugima, da je slikao krv na ulicama Sarajeva, a ne polomljene portrete druga Tita, da je radio za velike svjetske agencije, da je bio u Iraku i Afganistanu, da je vodio računa o svojoj egzistenciji, da je pazio da mu svi dužnici uredno plate, da nije oprostio sve i da sve nije razumio, da je pričao o sebi, a ne o drugima, Milomir Kovačević Strašni nikada ne bi snimio

»Bilo jednom u Petit Trou de Bretagne«, izložbu koju smo, zahvaljujući kustoskom fanatizmu i ispravnosti Marine Viculin, mogli vidjeti u kuli Lotrščak.

Gdje god živio, Milomiru Kovačeviću Strašnom, uz njegov fotoaparat (naravno, nikako i nikad digitalni), trebaju jedan grad, jedna kafanica i jedan laboratorij za razvijanje filmova, u kojem će i spavati. Sarajevo ili Pariz, u njegovom slučaju razlika nije tako velika, dok god je grad gradom i dok god ima ljudi koji će naći trenutak vremena da pogledaju prema njemu.

# Mojca Juvan,
# okom a ne bombama na Afganistan

Ne znam, i zapravo ne želim znati, što je to moglo 2003, usred najgorega rata, dvadesetdvogodišnju Slovenku navesti da se zaputi u Afganistan. Kako je to izvela, što je rekla bližnjima, od čega je bježala i čemu se nadala? Izvjesno je, međutim, da nije bila vođena avanturizmom, niti je bila željna lake i brze slave, kakvu često dožive hrabri fotoreporteri sa Zapada, spremni da riskiraju i vlastite glave da bi snimili metak koji upravo prolazi kroz glavu civila ili vojnika u nekoj dalekoj, nepoznatoj zemlji. Da joj nije bilo do takve slave, vidi se na njezinim fotografijama. Manca Juvan (1981) otišla je u Afganistan i šest godina se vraćala u tu zemlju iz nekih dubljih, ozbiljnijih i ljudskijih razloga, o kojima ne želim ništa znati, jer se, zapravo, o njima više zna kada se ne zna ništa.

Temeljito je upoznala zemlju u koju je došla, baš kao da tamo vlada savršeni mir i blagostanje pa ju je odabrala za svoju drugu, umjetničku, domovinu. Upoznala je ljude, njihove naravi i običaje, našla je načina kako da zađe u njihovu kulturu, kako da je puste u prostore vlastite intime, u svoje rađaonice, ludnice i umiraonice, zapravo da joj ukažu najveće povjerenje koje jedan čovjek može pružiti drugome čovjeku: dopustili su joj da osjeti njihovu nesreću i da sa njom radi što joj je volja. Došla im je kao stranac i kao žena, u njihovu zatvorenu i patrijarhalnu kulturu, u njihov razvaljeni svijet, koji je već trideset godina u ratu i pod krvavom agresijom stranih (ruskih, američkih, dakle nevjerničkih, kršćanskih) i vlastitih vojski i identiteta, u svijet koji, ali zaista, od drugih i drukčijih već čitavu vječnost nije vidio nikakva dobra. Što li su, Bože mili, ti ljudi vidjeli u Manci Juvan da su je tako primili k sebi, sve do vrata od utrobe (na jednoj fotografiji vidimo tridesetosmogodišnju Nasibu u času kad rađa dijete)?

Manca Juvan Afganistance fotografira okom i fotografskim objektivom, ali tako da se na svakoj slici poštuje neki zamišljeni estetski red, simetrija, igra sjena i svjetla, čudo boja. Iako se na njezinim fotografijama vidi neusporedivo više nego na slikama profesionalnih fotoreportera, tih slavnih agencijskih fotografa, niti na jednoj slici u knjizi »Neobičajna življenja« (Založba Sanje, Ljubljana, oktobar 2010) nema ničega fotoreporterskog, novinski izazovnog i šokantnog. Ove su fotografije visokoestetizirane, kao da su snimane u mirnome i sretnom svijetu, kao da su na njima bogati i zadovoljni ljudi, koji beskonačno dugo — možda i cijeloga života — samo poziraju.

Novinski papir može izdržati njezine fotografije, one mogu podnijeti kasapinsko redničko rekadriranje, greške u štampariji, susjedstvo šarenih reklamnih oglasa, štednju na materijalu i maloumni ljudožderski lov za senzacijama, ali novinski papir ne može prenijeti stvarni sadržaj, smisao, atmosferu i umjetničku raskoš Mancinih afganistanskih slika. Više je na njima šokantnih scena, valjda, nego na cjelokupnoj američkoj fotoreporterskoj produkciji iz Afganistana, ali osim njihove ljepote i estetske dovršenosti, postoji još nešto po čemu se Manca Juvan razlikuje i izdvaja. Drugi su bili oko Zapada u Afganistanu, a ona je na fotografijama iz ove knjige bila oko Afganistana. Razlika je golema, toliko velika da čovjeku srce strane.

Prošloga je listopada, u ljubljanskoj Modernoj galeriji, Manca Juvan priredila izložbu svojih afganistanskih slika. Vidio sam je prije nekoliko dana, u Dobrovu, čudesnome gradiću usred Goriških brda, u vinorodnom kraju na desnoj obali Soče, pri granici s Italijom, koji podsjeća na Toskanu pa je svojim mirom, uščuvanošću i urednim trajanjem u ovome vremenu, sušta suprotnost svakoj ljudskoj nesreći i svakom Kabulu. Razlika između izložbe i knjige, osim u formatu i rasporedu fotografija, jest u tome što je u knjizi ispričana i osobna priča o Afganistanu i o likovima s fotografija, koja istovremeno funkcionira i kao kratka i efektna književna reportaža o zemlji i ljudima. Podijeljena u više poglavlja, pripovijeda o duševnim bolesnicima u jedinoj afganistanskoj psihijatrijskoj klinici, o seljacima koji se bave uzgojem maka i proizvodnjom opijuma, o afganistanskim izbjeglicama u Iranu, o povratnicima iz izbjeglištva, o djeci radnicima, o ženama koje su bježale od muževa, o majkama, o udovicama, o narkomanima koji se pokušavaju izliječiti u bivšem sovjetskom domu kulture... Manca napiše rečenicu ili dvije, dadne riječ nekome koga je fotografirala, sažme život i sudbinu, koji bi se mogli raširiti na čitave romane, i tako pripovijeda o Afganistanu kao netko tko nije Afganistanac, niti dijeli afganistansku sudbinu, ali tko o toj zemlji zna onoliko koliko o nekoj zemlji mogu znati oni čiji interes nije samo profesionalni, nego je u dubinskom smislu egzistencijalni, emotivni, duhovni...

Na jednoj slici tako s leđa gledamo muškarca s turbanom, kako a la turca sjedi na ćilimu, pognute glave, okrenut prema zastrtim prozorima, kroz koje probija danje svjetlo. Slika je lijepa i čista, i nije morala biti snimljena u Afganistanu, ali je u biti tako — muslimanska. Kao što je i red, na njoj nema ljudskoga lica. Ljudska figura i prizor oko nje tako su postavljeni da tvore geometrijski preciznu, lijepu cjelinu. Kao da nam je pred očima ornament sa džamijskoga zida, a ne muškarac s turbanom, koji a la turca sjedi na ćilimu i ne miče se. Mogla bi to biti ilustracija za »Tvrđavu« ili za »Derviš i smrt«, mogla bi to biti čista i nepretenciozna fotografska meditacija na islamske teme, lišena svakoga folklora i kiča, mogao bi to biti fotografski odgovor na danske karikature poslanika Božjeg Muhameda, primjereniji od svega što je Zapad povodom njih uspio sročiti u ime prava na slobodu umjetničkog izražavanja...

Ali tekst, otisnut na bjelini susjedne, lijeve, stranice u knjizi, diskretan i sitan, određuje: »Golam Rasul Mudakik, afganistanski šiitski klerik, živi u svetome gradu Kom (kao izbjeglica u Iranu, op. M. J.), još od ljeta 1980.« A iznad toga drugi, jednako kratak tekst, u kojem Golam Rasul Mudakik odgovara na pitanje kako mu je živjeti u svetome šiitskom gradu Komu: »Ne mogu lagati zarad svog Boga, a istinu ne mogu reći zarad vlade Islamske Republike Iran.« I to je sve. Ako tko upita za odnose između religijskih i političkih uvjerenja, ako postavi to vječno pitanje o odnosu vjere i slobode, o tome je li religija opijum za narod i može li čovjek s Bogom biti savršeno slobodan, ili ako se, kao i toliko puta u posljednjih deset godina, ili od američke provale u Afganistan, u nekoj televizijskoj debati problematizira je li Islam inkopatibilan s demokracijom i ljudskim pravima shvaćenim na način zapadnjačkog sekularnog društva, valjalo bi samo, bez ijedne riječi viška, odnekud izvući knjigu Mance Juvan i pokazati Golama Rasula Mudakika i njegovo svjedočenje o istini, vjeri i građanskoj slobodi.

Ne znam što je to moglo jednu dvadesetdvogodišnju slovensku fotografkinju privući Afganistanu i ne želim znati, jer su to privatni motivi, koji, kada za njih znamo, znaju sakriti bit stvari. A bit je ta da je Manca Juvan Afganistanu, jednoj kulturi i identitetu, ljudima koje je fotografirala, zauvijek posudila svoje oko, jer je na Afganistan gledala očima Afganistana, a ne očima nezainteresiranog, premda erotiziranog voajera. Scene patnje, tuge i nesreće, scene običnoga, svakodnevnog života, rađanje i umiranje, ono po čemu smo ljudi, snimila je kao da je sva njihova, i to je doista čudo.

Pišući prije izvjesnog vremena priču o knjizi Tonyja Judta, velikoga povjesničara Europe i europskoga istoka, koji je prošle godine umro, ukrao sam iz ljubljanskoga Dnevnika Judtovu fotografiju. Učinio sam to nekako znajući da mi ta krađa neće biti zamjerena, a preko mene ni Jutarnjem listu u kojem sam i tu priču objavio, i to zato što me šokirala slika umirućeg čovjeka, čije životno dostojanstvo nimalo nije narušeno činom slikanja. Naime, to je bio taj Judt, koji je napisao knjigu o kojoj sam pričao: umirao je, a bio živ. Čudo je kada se i na fotografiji takvo što vidi. Sliku nisam potpisao, jer sam ju pronašao nepotpisanu i nisam znao tko ju je snimio, osim što sam naveo da je preuzimam iz Dnevnika. Neki dan sam, opet na internetu, slučajno otkrio autorstvo te fotografije. Bila je to Manca Juvan.

# Edward Hopper, portretist Amerike

Amerika, to je ono mjesto koje poznaju svi, nema čovjeka na Zemlji koji u glavi ne bi imao sliku Amerike, i to sasvim vjerodostojnu, tako da slika najudaljenijega, od Amerike najotuđenijega Zemljanina, ima nečega zajedničkog sa svim drugim slikama Amerike, te s nekom općom, kolektivnom predodžbom, ako su takve predodžbe moguće. Amerika je jedan od dva pojma koji su zajednički cijeloj ljudskoj vrsti. Drugi je Bog. Ali dok se Boga osjeća i poznaje iznutra, bilo da je prisutan ili da je odsutan, Amerika je samo slika. Moglo bi se čak reći da tu sliku najbolje poznaju, da je ona najjasnija i najčišća u očima i sjećanju ljudi koji nikada nisu bili u Americi, jer je neopterećena onim što je sporedno i nevažno ili što je neameričko u slici doživljene i viđene Amerike.

Slikar Edward Hopper jedan je od najvažnijih tvoraca te opće, svima poznate slike Amerike. Prizori koje je naslikao danas su i u očima onih koji nikada nisu vidjeli nijednu njegovu sliku. Rođen 1882, proživio je dva svjetska rata, elektrifikaciju svijeta i Fordovu automobilsku revoluciju, ali je najvažniji društveni događaj u njegovome umjetničkom životu bila velika ekonomska kriza i depresija s kraja dvadesetih. Iako je već bio skoro pedesetogodišnjak, tada je konačno formirao i dovršio svoju sliku svijeta, koja će zatim postati prevlađujuća slika Amerike, na osnovu koje će strani imigranti, naročito filmski redatelji poput Alfreda Hitchcocka, Michelangela Antonionija ili Wima Wendersa, stvarati kadrove i prizore tipične Amerike.

Hopperova ulja iz vremena depresije prikazuju muškarce i žene praznih pogleda, kako stoje na pustim benzinskim crpkama, ili usred ljetne žege sjede na posteljama pustih, oskudno opremljenih velegradskih stanova, i gledaju kroz otvorene prozore, iza kojih se više ništa ne događa. U toj pustoši i čamotinji izmjenjuju se doba dana i noći, mijenjaju se osvjetljenja, kojima je Hopper bio opsjednut i preko kojih je savršeno umio karakterizirati likove na svojim platnima, crtežima i grafikama, i stvoriti atmosferu koju poznajemo iz filmova Jima Jarmusha ili iz pojedinih romana Paula Austera. Recimo, oni dijelovi »Knjige iluzija«, u kojima se evociraju vremena nijemoga filma, kao da su preslikani s Hopperovih slika.

U stilskom i tehničkom pogledu Edward Hopper bio je i za svoje vrijeme krajnje konzervativan i arhaičan slikar. Njegova slikarska manira je između akademskog realizma i francuskoga impresionizma, s tim da — pogotovu prije nego što se proslavio — prvo prevladava. Ali postoji nešto što Hoppera razlikuje, izdvaja, čini velikim, mimo svih stilskih formacija, ideoloških određenja i moda. On je na svojim slikama genijalan društveni komentator, s darom za naraciju i za karakterističnu scenu, koja će u sebi sabrati i prikazati atmosferu i iskustvo jednoga dana, godišnjega doba ili političke epohe. Njegova platna imaju dinamiku sličice u stripu ili filmskoga kadra.

Hopper je, kao i mnogi važni slikari njegova vremena, radio i kao novinski i reklamni ilustrator. Naravno, bio je izvanredan crtač, koji je u stanju na malome prostoru, uz minimum sredstava, stvoriti pompozan efekt. Nešto od toga primjetno je i na njegovim slikama: kada ih vidite reproducirane u kakvoj monografiji ili na internetu, mogli biste pomisliti kako se radi o platnima velikih dimenzija. Međutim, većina njegovih slika — uključujući one najvažnije i najpoznatije — jedva da prelaze šezdesetak centimetara. Na neki vrlo specifičan način, bio je i ostao slikar američke sirotinje, deklasiranih činovnika i srednje klase, stradale u godinama depresije, a zatim mobilizirane za europsku klanicu Drugoga svjetskog rata.

Iako nije insistirao na oneobičavanju prizora, najmanje na groteski, Hopper je svoje slike često slikao iz čudnih, pomaknutih rakursa, koji prikazuju više od onoga što bi se vidjelo iz uobičajene, svakodnevne perspektive. Njegovo oko često lebdi ispred prozora, na višim katovima stambenih zgrada, obično osvijetljenih električnim svjetlom, ili zuri negdje iz ugla, obično u gornjemu rakursu, kakve ružne kancelarije. Recimo, na slici »Office at Night«, koja se vrlo često reproducira, vidimo muškarca koji sjedi za kancelarijskim stolom, udubljen u neki spis, dok malo iza i pokraj njega skladno građena tajnica prebire po limenom ormaru s dokumentacijom. Prizor je turoban, skoro pa tužan, jer stvara dojam — unatoč prividu sređenosti i unatoč krajnje izazovnoj haljini — krajnjeg i konačnog životnog poraza. Nije to ona kafkijanska, srednjoeuropska i austrougarska slika birokracije i birokratskoga otuđenja. Ovo je Amerika noćnih kancelarija, kontinuirane strepnje, umjetno stvorene krize i depresije, Amerika uniženih i poraženih snova.

Edward Hopper doživio je pristojnu starost, umro je 1967, dočekavši skoro i niksonovsku eru, u vrijeme rata u Vijetnamu, mirovnih demonstracija i Djece cvijeća. U međuvremenu, Amerika se razvijala i rasla, i bivala sve sličnija njegovim slikama. Kada Richard Nixon bude podnosio ostavku zbog one bizarne afere prisluškivanja, moći ćemo na Hopperovim platnima iz četrdesetih i pedesetih, po pustim uredima i napuštenim, prašnjavim stanovima s pogledom na zgrade preko puta, tražiti prislušne uređaje, bubice u zidovima, mikrofone i odašiljače, koji vode tko zna kamo.

Naravno, Hopper je već bio prestar, a bio je i toliko ozbiljan čovjek, pa se nije mijenjao kako su mu se mijenjali životni uvjeti. Na jednoj od njegovih relativno kasnih slika »South Carolina Morning« iz 1955. gledamo prekrasnu ženu u crvenoj haljini (je li mulatkinja, Afroamerikanka, što li je...), sa crvenim šeširom, čija joj sjena zaklanja oči, koja stoji prekriženih ruku, na pragu stare južnjačke kuće zaškurenih prozora, usred savršene pustoši, u kojoj sve do horizonta nema više ničega i nikoga. Lijevom nogom je blago iskoračena, ali nikoga ne čeka. Ljudi sa slika Edwarda Hoppera obično nikoga ne čekaju. Amerika je njihova fantastična rezignacija.

Dopustim li si i tu bezobraznu iluziju, zamislit ću da sam divljački bogat, recimo kao dobri Bill Gates. Tada bih kupovao Hopperove slike, gledao ih po svojim zidovima, a zatim ih poklanjao ljudima koji se boje aviona i pate od morske bolesti, pa nikada neće otputovati u Ameriku. Ali ne žalim baš puno za tom iluzijom, jer je Hopper jedan od onih slikara čija djela dobro podnose reproduciranje, između ostaloga i zato što je na njegovim slikama najvažnije ono što se uopće ne vidi, nešto što je već upisano u gledateljevu oku, nešto što nastavlja priču koja je započela na slici. U boljim europskim knjižarama, te u zagrebačkom Algoritmu, može se vidjeti i kupiti nekoliko različitih monografija Edwarda Hoppera, od kojih je, možda, najzanimljivija ona u izdanju milanske Skire, s predivnom reprodukcijom ulja iz 1960. »Second Story Sunlight«.

Kada je shvatio da će u Hrvatskoj zapravo biti trajno onemogućen u snimanju filmova, i da je sve što bi dalje pokušavao tek samozavaravanje i novo taloženje ružnih iskustava i loših emocija, moj prijatelj, filmski redatelj Goran Rušinović je prije godinu dana skupa s obitelji konačno emigrirao u Ameriku. Mudar izbor: čovjek je danas slobodan i sretan, a Hrvatska nije ni primijetila da ga nema. Možda je to glavna prednost demokracije: totalitarna bi se država mučila s njim, ne puštajući ga da ode, pa bi možda trošila novce poreznih obveznika da mu isplaćuje socijalnu pomoć ili da ga ni krivog ni dužnog drži u zatvoru. Ali nešto drugo sam htio ispričati, nešto što ima veze s Edwardom Hopperom: kada je odlazio, predložio sam Rušinoviću, inače i akademskom slikaru, sjajnom crtaču, da odmah počne crtati Ameriku. To je važno za nas obojicu, a možda i još za ponekoga: da vidimo je li se ta zemlja, ili ta metafora, išta promijenila, i kako izgleda viđena okom emigranta, s početka novoga tisućljeća. On je prihvatio moj prijedlog, ili je to, možda, bio i nalog sudbine, pa crta i šalje mi svoje crteže. Rušinovićeva Amerika je danas moja Amerika.

# Sava Šumanović, naš strijeljani talac

Navečer, onoga prvog zaista hladnog novembarskog dana, kada su mraz i magla pritisnuli vukomeričke brežuljke, Turopolje i Zagreb koji se više nije ni vidio u daljini, a sav je prizor bio u sivo-modrim obrisima, kao na skicama i crtežima Milana Steinera, u Muzeju za umjetnost i obrt održavao se prijem u čast predsjednika Srbije Borisa Tadića. Dok sam išao prema gradu, niz sumračnu Savsku ulicu, ispod željezničkog nadvožnjaka i uz puste i prazne izloge u dnu kojih su se, pod samrtnim neonima, crnjele mumije ljetošnjih muha, zamišljao sam se u 1920, kako u isto ovo doba pješačim niz Savsku, prema istome onom Muzeju za umjetnost i obrt, ali ne na svečanu soareju u čast pomirenja dvaju zavađenih naroda, nego na izložbu jednoga vrlo perspektivnog i samouvjerenog mladog slikara. Zbilja, je li još kojemu od tristotinjak Tadićevih domaćina, koji su se te večeri sa čašama reprezentativnih hrvatskih vina tiskali i znojili oko jedne plemenite ideje, na um palo da su se tu našli o devedesetogodišnjici druge samostalne zagrebačke izložbe Save Šumanovića, te da bi, nakon što predsjednik Srbije ode svojoj kući, a oni ostanu sami sa sobom, mogli nanovo raščistiti što je njima i njihovoj dičnoj hrvatskoj kulturi taj sremski i srpski slikar, kojega 30. kolovoza 1942. u Šidu ustaše kao taoca pogubiše?

Sava Šumanović došao je u Zagreb s jeseni 1914, da polaže prijemni ispit na Višoj školi za umjetnost i obrt. Ispit je položio, nakon čega je Zagreb postao jedan od njegova dva sudbonosna grada; drugi je, naravno, bio Pariz. Tu se proslavio svojim ranim darom, pa se sprijateljio s Milanom Steinerom, dvije godine starijim, silno darovitim i u naraštaju autoritativnim sisačkim dođošem. Prijateljstvo dvojice mladića, genijalnih slikara — iz perspektive šetača niz Savsku ulicu, devedeset godina kasnije — manjinaca i prokletnika, koji će, iz sličnih razloga, biti u Zagrebu temeljito zaboravljeni i skrajnuti, s tim da će se Steinera jednoga dana prisjetiti, a Šumanovića neće nikad, slabo je dokumentirano, o njemu skrupulozno piše samo Dimitrije Bašičević, među moćnijim je literarnim predlošcima onoga doba, samo što nema pisca koji bi ga fikcionalizirao. Jedan Srbin, drugi Židov, malo nakon velikoga svjetskog rata, i malo više pred sljedeći, u Zagrebu koji je tada još bio malena kulturna metropola, s bečkom legitimacijom i — posljednji put u svojoj povijesti — s multikulturnim, višenacionalnim socijalnim pejzažom, tema je to za priču o onome u što će se taj grad pretvoriti dvadesetak ili devedesetak godina kasnije, kada više ništa, osim arhitektonske donjogradske čahure (a uskoro ni ona, zahvaljujući Horvatinčićevom i Karamarkovom deurbanizirajućem terorizmu) ne svjedoči da su u tom gradu ikada slikali umjetnici tako kompleksnoga značenja i podrijetla.

U to vrijeme, prije nego što će prvi put otići u Pariz, Šumanović je imao još jednog prijatelja i istomišljenika, Antuna Branka Šimića, kojemu je ilustrirao Preobraženja, jedinu knjigu koju je pjesnik za života objavio, i s kojim je razmjenjivao svoje — na žalost kratkotrajne — ekspresionističke fascinacije. Iako ih, kao presvijetlog dečkići, gane svaki spomen Antuna Branka i stihova s kojima je poput zvijezde padalice kliznuo hrvatskim nebom, naši estete kao da ne žele znati tko je narisao naslovnicu prvoga izdanja te jedine njegove knjige.

Šumanović je slikar estetski neuravnoteženog opusa, čestih i nesigurnih mijena, kao da su ga vodili živci, a ne dar. Rano je, za vrijeme drugog boravka u Parizu, u veljači 1928. doživio duševni slom, od kojega se nikada nije do kraja oporavio, pa je život provodio, uglavnom, na selu, šetajući, radeći na njivi i slikajući. Na kraju je odustao od svih svojih fascinacija, od Kandinskog i od Pariza, od gradova općenito, od apstrakcije, kubizma i ekspresionizma, pa je slikao, uglavnom, sremske pejzaže, puste salaše, sela i beskrajnu ravnicu pod nebom pod kojim se, uglavnom, nikada ništa ne događa. Te slike na kojima se ne vidi velika ambicija, utjecaji stilskih škola i metropolskih moda, djeluju omamljujuće svojim mirom, unutarnjom ljepotom i nekom nevjerojatnom običnošću. Sav žamor se utišao, uminuo je svijet, poumirali prijatelji, drugovi se razišli po svijetu, a on se zatekao tako savršeno sam pred fruškogorskim pejzažom, adaševačkim drumom ili snijegom u Šidu, onim posljednjim, slikanim strašne 1942. Slike su to već sasvim introvertiranog čovjeka, sklupčanog u duši, iz koje više ne govori ništa, osim čistoga umjetničkog dara. Nema na tim pejzažima unutarnje emocionalne i mentalne oluje, nema nagovještaja rata, niti predosjećaja strašne sudbine, svoje i svoga naroda; ničega nema od onog što se, po školskom planu i programu, očekuje od poludjelih slikara, ili osjetljivih umjetnika koji ćute sudnji čas. Nikakve bure i nikakvih predosjećaja, samo tih i ravan Srem.

Kako je bilo ubiti takvoga Savu Šumanovića? Ovo je važno, zanimljivo i — opsegom vapijućeg odgovora — romaneskno pitanje. Moglo bi se o njemu pisati cijeloga života, pa se svejedno ne bi još ništa napisalo. Kako je bilo ubiti Savu Šumanovića? To nas pitanje ne zanima iz ustaške perspektive, jer je ona na svaki način nezanimljiva i banalna. Ne zanima nas ni iz perspektive nečistih hrvatskih savjesti, nacionalista koji i među mrtvacima provode etničko čišćenje, što se odvijalo u jesen 1991, kada su ugledni povjesničari umjetnosti, estete iz Tuđmanove cirkuske šatre, one u kojoj je na Plesu dočekivao Clintona, zakićen probranim Račićima i Kraljevićima, iz zagrebačkih stanova i galerijskih deponija potajice iznosili slike Save Šumanovića i drugih slikara nečiste krvi, pa ih preko krvave granice i skršenoga Vukovara, sa sličnima sebi mijenjali za slike etnički čistih Hrvata. Tako se poravnavao račun s poviješću, a Zagreb je pretvaran u autentičnu monokulturnu, jednonacionalnu prijestolnicu, u kojoj su po padu Berlinskoga zida bespravno uzdignuti lokalni zidići rasli do neba.

Pitanje kako je bilo ubiti Savu Šumanovića postavlja se običnim ljudima u čije je ime slikar ubijan, ljudima koji nisu krivi, ali jesu odgovorni. Odgovornim ih čini samo to što mogu razumjeti ono što ubojice i njihovi dobošari, gočobije i telali ne mogu da razumiju. Odgovornost je Božji blagoslov; ona nas čini ljudima, ali i dalje je teško razumjeti kako je to bilo ubiti slikara. Kada su došli po njega, upitao je može li se okupati. Za čudo, oružnici su mu to dopustili. Pristojno su ga sačekali. Tako je Sava u smrt opran otišao.

O svemu tome mislio sam dok sam navečer, prvoga ledenog dana ove jeseni, išao niz Savsku, prema Muzeju za umjetnost i obrt, i zamišljao da idem na izložbu mladoga slikara, kojemu je, kao i njegovome prijatelju Milanu Steineru, talent obećavao uspjeh, slavu i životnu sreću, možda.

# Milan Steiner,
slikar koji je slikao kišu

Kada s jeseni jugo zapuše uz panonsku nizinu, razbude se mirisi gradske kanalizacije i ukoso pljusne ona krupna kiša, koja se zavlači pod kišobrane, Zagreb na kratko, možda na nekoliko popodnevnih minuta, počinje sličiti onoj najpoznatijoj slici Milana Steinera, lakoga i neambicioznog imena »Kiša«. Tri su figure u prvome planu, dvije ženske, a treća je, možda, muška, još nekoliko njih na margini prizora, obrisi zgrada i kočija koju vuče jedan konj. Slika je sva siva i plošna, bez dubine i perspektive, onakva kakvi su, povremeno, prizori u snovima. Njezina dramatičnost u načinu je na koji te žene drže svoje kišobrane. Okrenuti u vjetar, vrhovima usmjereni prema kapima koje su tek nedavno počele padati — jer se s tolikim uvjerenjem ne brani od kiše ako dugo pada, nego se čovjek već miri s pokislošću — ti crni kišobrani prkose južnom vjetru, pošto u nas samo jugo na takav način puše, noseći kišu. Kada bi svaka slika imala priču, tada bi priča ove Steinerove slike izvirala iz usmjerenosti njegovih kišobrana. Oni su, a ne sivi njezini tonovi, ili kiša koja pada, to što ulazi u dinamiku sjećanja i asocijacija, i što čovjeku koji živi u Zagrebu, s jeseni, kad zapuše jugo, prizove Steinerovu »Kišu«, u misli i u asocijaciju snažno, onako kako se samo Krležine slike, recimo, famozni Latinoviczev »Kaptolski kolodvor«, utiskuju u sliku stvarnoga grada.

Milan Steiner nije, naravno, bio rođeni Zagrepčanin. Kao i njegov šulkolega Sava Šumanović, s kojim je ratne zime 1917. na 1918. dijelio atelje s pogledom na Pantovčak, Steiner je tu došao na škole. Ali različiti su bili njih dvojica: Steiner je bio invalid, i bio mu je upisan kratak život, a Šumanović je još uvijek djelovao snažno, ali svilenih živaca, koji nakon što jednom popucaju, nikada neće zacijeliti. O čemu li su razgovarala, u zajedničkome zagrebačkom ateljeu, ta dvojica tuđinaca i došljaka, jedan Židov, a drugi Srbin, one pretposljednje ratne zime, dok su po slijepim kolosijecima umiruće monarhije kisnuli vlakovi puni vojnika koji nikada neće stići na frontu, jer fronte više nema (o tome će, puno nakon Steinerove smrti, prostudušno svjedočiti stanoviti Josef Švejk)?

Steiner je bio sin dobrostojećeg trgovca Hinka Steinera i Rosalije Deutsch (od onih Deutscheva od kojih je bila i glumica Lea). Otac je bio povučen, nagluh čovjek, majka vesela i poduzetna. Kao beba Milan je ispao dadilji iz ruku i zadobio trajne ozljede. U sedmoj je obolio od tuberkuloze pluća. Operiran je, i odstranjeno mu je jedno plućno krilo. Ta operacija je, u godinama fizičkoga rasta i razvoja, izazvala teške posljedice. Gornji dio tijela mu se deformirao, zadobio je grbu i ostao izrazito nizak. Na sačuvanim fotografijama, te na vlastitim crtežima i skicama, pogotovo na crtežu gdje ga vidimo s golemim kišobranom pod rukom, kako šeta s nekom mladom ženom, Milan Steiner figurom i držanjem nevjerojatno podsjeća na Brunu Schultza. Osim što mu je, usljed fizičkoga hendikepa, bio sličan, kao da je i on, premda ne koliko Schultz, mazohistički uživao u vizualnom predstavljanju vlastite nakaznosti (riječ nakaznost u ovom slučaju valja shvatiti sasvim uvjetno, kao vizualnu različitost, a nikako kao nešto što bi bilo ružno, krivo ili neispravno).

Milan Steiner živio je jedva dvadeset četiri godine, a umro je na način na koji su, u posljednje dvije ratne zime, umrle stotine tisuća Europljana. Kako piše u njegovome kratkom životopisu, u monografiji što ju je napisao i načinio Boris Vrga (likovni znalac i entuzijast, izvrstan likovni pisac, inače liječnik, specijalist za plućne bolesti i za tuberkulozu), a objavljena je 2004. u izdanju sisačke Aure, krajem studenoga 1918, jedne je večeri Steiner ranije otišao iz Kazališne kavane. Loše se osjećao, imao je vrućicu. Nekoliko dana kasnije, u noći između 4. i 5. umro je, jer onako loman i krhak, s jednim plućnim krilom, protiv španjolske gripe, u narodu poznate španjolke, najslavije i najpogubnije gripe našega vijeka, on nije imao nikakvih šansi. Tihi i delikatni slikar Đuro Tiljak, godinu dana stariji Steinerov drug, u svom je dnevniku za taj dan nacrtao židovsku zvijezdu, i uz nju upisao: Milan S.

Iza Steinera je ostalo veliko slikarsko djelo u pripremi. Neusporedivo više skica, crteža, likovnih bilješki, nego gotovih slika. Osim što je prirodno da bude tako, katkad se učini, pa i u listanju Vrgine monografije, da Steiner i nije imao ambiciju da previše toga dovršava. Ima nečega u njegovim crtežima što svijet ostavlja u obrisima i u konturama, u nekoj karakterističnoj kretnji, u nečemu što se, obično, i ne pokušava nacrtati, kao da svijet više i nije cijeli, niti treba biti cijeli. Milan Steiner bio je virtuozan crtač, a njegova virtuoznost često se zasnivala na onome čega na crtežu nema, ne na onome čega ima. Manje dobar crtač morao bi, naprosto, nacrtati sve, da bi mogao nacrtati išta. Steiner je crtao isječke stvarnosti, kojoj su nedostajali dijelovi prizora, kao što dijelovi prizora nedostaju — opet ih spomenimo — u snovima.

Crtačka virtuoznost, ona koja se ne da učiti ni vježbati, najčešće se, u tehničkome smislu, sastoji u tome da se s najmanje linija načini cijeli crtež. Steiner je, suprotno od toga, crtač koji stalno ima »višak« linija, kao da olovkom ili tušem slika, a ne crta. Takav je, recimo, nevjerojatno lijep crtež »Pred kazalištem«, s dvije muške figure, publikom koja ulazi u HNK i konjem, savršenim u pokretu, a da je figura životinje jedva vidljiva. Ili crtež »Krovovi, snijeg«, koji je, vjerojatno, bio nabrzinu načinjena skica. U njemu, kao i u slici »Kiša«, postoji nešto što se opire opisivanju i objašnjavaju, a što se, u gledateljevoj misli, u sjećanju, iz umjetničke stvarnosti seli u živu stvarnost, pa onda nju čovjek gleda iz perspektive Steinerovih crteža. Možda je i to način na koji se prepoznaje, i na koji postoji, istinska umjetnost.

Milan Steiner minuo je Zagrebom, a da to metropola nije ni osjetila. Bilježio je karakteristične prizore grada, pa se vraćao u Sisak, i tamo crtao iste žanrovske scene. Kretao se oko HNK, pa šetnicom uz Kupu i uz riječne vrbike. Crtao je kočije i dame sa šeširima, izmučene autoportrete, lica koja se do kraja i ne vide. Bio je izrazito gradski, urbani slikar. Ne znamo čega se bojao, što je osjećao ili što je slutio o vremenu koje dolazi — premda je, to znamo, bio vrlo načitan i upućen u književne i likovne stilove, pokrete i mode — ali i on je, kao i Bruno Schultz, bio umjetnik grada i gradskih ulica, a ne građanskih salona. Premda nije bio sirotinja, a nije stigao niti da bude ljevičar, komunist, proleterski umjetnik, Milan Steiner je bio, tako se, barem, ovome gledatelju čini, intimniji s ulicom, nego s dnevnim boravkom.

Da je poživio, gotovo je izvjesno da bi završio kao i cimer mu Sava Šumanović. Možda ne kao strijeljani talac, nego u Jadovnom, Jasenovcu, Đakovu, ili, neprikladan za transport, u prvome jarku ili vrbiku. Do partizana sigurno ne bi došao. Ali ako se smije kod takvih sudbina govoriti o sreći, a smije se, zašto se ne bi smjelo, i ako sreće ima nakon što čovjeka više nema, Milana Steinera su, tek nakon smrti, pratile sve same sretne okolnosti. Njegovo djelo preživjelo je Drugi svjetski rat spremljeno pod stubištem jedne kuće u zagrebačkoj Petrovoj ulici, nakon čega ga je preuzeo slikarev brat Ivo. A on je bio antifašist, intelektualac s njemačkim i francuskim školama, prijateljevao je s francuskim nadrealistima, ali i s Peđom Milosavljevićem i Markom Ristićem, što ga je, nekako logično, dovelo i na prvu izložbu Josipa Vanište, 1952. u Zagrebu. Ubrzo su se sprijateljili, razmjenjivali su ideje, živjeli nekim zajedničkim umjetničkim i intelektualnim životom, sve do Ivine smrti, 1985. godine.

Ivo Steiner je životno djelo svoga brata, za koje se veoma brinuo, ali ga nije doživljavao kao robu koja se smije pretvarati u novac, zavieštao slikaru Josipu Vaništi. On je na jednak način nastavio voditi brigu, ne dopustivši da se Milan Steiner pretvori u lokalnu hrvatsku monetu, u platežno sredstvo s mnogo nula, kao što se dogodilo s drugim važnim hrvatskim slikarima, recimo s Račićem i Kraljevićem, čije se su slike pretvorile u simbole našega grabežnoga kapitalizma, naročito nakon što ih je urođenički poglavica, u šatoru što ga je razapeo nasred aerodromske piste, pokazivao najznamenitijemu američkom kuronji, kojemu su te slike, naravno, bile savršeno bezvrijedne i zapravo smiješne. Zahvaljujući Vaništi, genij Milana Steinera ostaje neprocjenjiv, a njegova sudbina tiha, pomalo sporedna, ničim trivijalizirana. Skromna i dovršena, poput Tiljkove Davidove zvijezde s imenom i inicijalom, poput tog groba u privatnoj bilježnici.

# Ilija Bosilj, nema zemlje za Iliju

Bilo je to u jesen 1997. Sjedio sam u foajeu nekoga milanskog hotela, nevoljan što sam daleko od kuće, izložen rukovanjima i upoznavanjima s nepoznatim svijetom, i pitanjima na koja nemam odgovora, kada su mi donijeli, tog dana objavljeno, Einaudijevo izdanje knjige priča Karivani, u talijanskome prijevodu Ljiljane Avirović. Skamenio sam se vidjevši naslovnicu. Grafički urednik kojega nikada neću sresti, ne znam mu ni imena, na moju je knjigu stavio detalj sa slike Ilije Bosilja, srijemskoga paora i samouka, čije su me ikonične figure pratile od djetinjstva, i s kojim sam se tih godina, premda o tome nikada i nigdje nisam pisao, u stanovitom smislu identificirao. Uselio sam se u njegovu biografiju, koja je sva djelovala poput literarne priče. U njoj se na takav način ogledao duh vremena, da sam svoj slučaj sebi samome objašnjavao, i još uvijek ga katkad, u časovima nesanice, živčane slabosti ili kasnoljetnih i jesenjih alergijskih ataka, objašnjavam preko slučaja Ilije Bosilja. Ništa o svemu tome nije znao onaj koji me je častio tim najtočnijim motivom na naslovnici neke moje knjige.

Ilija Bašičević rodio se 1895. u Šidu. Završio je četiri razreda osnovne škole. Bavio se zemljoradnjom, sve dok mu država, kada je već navršio šezdeset i drugu, nije oduzela zemlju. Tada se počeo baviti crtanjem. Sve te njegove rane crteže i gvaševe uništio je sin Dimitrije, zgrožen samom očevom namjerom da se bavi umjetnošću i spreman da ga u tome na svaki način spriječi i demotivira. Dimitrije Bašičević, zagrebački povjesničar umjetnosti, koji doktorira na svome šidskom zemljaku, genijalnom srpskom slikaru Savi Šumanoviću, 1957. je suosnivač Galerije primitivne umjetnosti. Osim što je u to vrijeme mislio da očev rad ništa ne vrijedi, jer je bio suprotan poetici jugoslavenske naivne umjetnosti, pitomoj idili Hlebinske škole, socijalnom i umjetničkom nauku Krste Hegedušića, Dimitrije Bašičević vjerojatno je naslutio nevolje koje bi mogle po njega nastupiti.

»Afera Bosilj« stvorena je početkom šezdesetih, vrhunce doživljava tokom 1964. i 1965, a traje sve do 1971. Odvijala se po stručnim i kulturnim časopisima, ali se vrlo brzo širila i na zagrebačke i beogradske dnevne novine, političke i obiteljske tjednike, poprimivši razmjere jednoga od ogavnijih kulturnih skandala u jugoslavenskoj povijesti. Hajku je poveo sam Krsto Hegedušić, kada je u beogradskoj Ekspres Politici izjavio: »sumnjam da je Bosilj autor«, da bi mu se zatim pridružila zagrebačka kuka i motika, sramoteći oca i sina Bašičevića. Dogodilo se i nešto čega nije bilo ni u zemljama otvorenog staljinizma: Komisija Prosvjetno-kulturnog vijeća grada Zagreba pozvala je Iliju Bosilja Bašičevića da slika pred posebno imenovanom stručnom komisijom, čime bi se utvrdila »autentičnost njegovog stvaralačkog čina«. Taj sramni događaj odvio se 18. veljače 1965. u stanu Dimitrija Bašičevića, u Freuderreichovoj 3/1. Članovi komisije »su se ogradili od ovakvog načina provjeravanja autentičnosti autorstva u oblasti slikarstva, no odazvali su se pozivu naslova sa željom da se u korist raščišćavanja situacije oko Gradske galerije primijeni i ta krajnja metoda.« Tako su komisijski općili, a da im nije ušlo: Matko Meštrović, Zdenko Munk, Radoslav Putar i Vjenceslav Richter. Ova preważna i nezaobilazna imena hrvatske kulture su, nakon izvršenog opita na živome umjetniku, jednoglasno zaključila da je »njegovo autorstvo odnosnih djela stvarno i nesumnjivo«.

Nakon te sramotne presude, kojom je, kao i u toliko drugih prigoda, hrvatska (i jugoslavenska) kultura sudila samoj sebi, a ne umjetniku kojega se pokušalo likvidirati, Ilija Bosilj je, posve uzaludno, podnio sudsku tužbu protiv svih koji su ga optuživali. Skandal je nastavljen, nastavljeno je istjerivanje vraga iz jednoga starca, genijalnog umjetnika, a njegov je sin bio slijedom javnih poniženja i optužbi da je ustvari on autor očevih slika, primoran da ode iz Galerije primitivne umjetnosti i da ostavi zauvijek nedovršenim polemike u koje je ušao s pojedincima i s kulturnom sredinom koja ga je sramotila ili ga je, blaže rečeno, odbila zaštititi. Zahvaljujući ocu Iliji, u velikoj je mjeri preusmjerena profesionalna karijera Dimitrija Bašičevića, pomaknuli su se njegovi profesionalni interesi, a zatim i način djelovanja. Tako se rodio i Mangelos, Bašičevićev umjetnički alter ego, jedno od najznačajnijih imena hrvatske avangarde, čije će radove, puno nakon umjetnikove smrti, otkupiti njujorška MoMA. O tome se u finim zagrebačkim krugovima ne govori, ali Mangelosa ne bi bilo da nije sramoćenja Ilije Bosilja i njegovog sina. A zapravo, sin se umjetničkim stvaranjem počeo baviti na sličan način kao otac. Jednome su oduzeli zemlju, drugome profesionalnu vjerodostojnost. Pritom, razlika između seljaka i povjesničara umjetnosti u njihovome slučaju uopće nije velika. I jedan i drugi bili su umjetnici u najelementarnijem smislu riječi.

Ilija Bosilj inspiraciju je nalazio u Svetome pismu i u kojekakvim mitološkim tekstovima, ali za razliku od naših, i ne samo naših, naivaca, nije težio preslikavanju stvarnosti. Njegove figure, ljudske i životinjske, bile su krajnje stiliziranje, i to na način koji je istovremeno podsjećao na dječje i pećinske crteže, ali i na antropološke i etnološke studije, Zlatnu granu ili Claudea Levi-Straussa, koji se šezdesetih i sedamdesetih i u nas nosio kao dugosezonska intelektualna moda. Pored dara da sliku koncipira kao niz zagonetnih, ali na kraju — odgonetljivih i racionalnih znakova, Ilija Bosilj imao je za diletanta i samouka neočekivano rafiniran koloristički dar, koji je dosljedno provodio. Premda nema nikakvog opravdanja za postupanje zagrebačkih kulturnih i likovnih komesara prema njemu i njegovom sinu, zapravo jest šokantno da je takve radove naslikao starac sa četiri razreda osnovne škole. Onda biva jasna i reakcija Krste Hegedušića na njegovo slikarstvo: naime, ako je Ilija Bosilj kao umjetnik autentičan, tada iza manirizma hlebinske naive čuči neka golema laž, zgodna tek za razglednice i turističku ponudu socijalističke Jugoslavije i njezine kulture. Naivnim slikarima zadano je da se moraju razlikovati od nenaivnih, akademskih slikara, općenito od umjetnika koji ne žive na selu. Slike Ilije Bosilja narušavaju tako postavljena pravila. A kako bi jednoj zaostaloj i uplašenoj kulturnoj i umjetničkoj sredini bilo ugodnije kada bi ta pravila i dalje postojala, bilo je važno reći da on nije naslikao svoje slike. A kada je dokazano da jest, i dalje su se pravili kao da nije, sve dok u današnjem vremenu, nakon raspada Jugoslavije, Ilija Bosilj u Hrvatskoj ionako nije likvidiran kao umjetnička činjenica. Bez obzira na to što mu je zagrebački komesarijat izdao uvjerenje o autorstvu, on je danas — srpski i svjetski slikar. Hrvatski, nije! Ali ne zato što je sam to odbio biti.

Svoje životno djelo ostavio je rodnome Šidu, gdje je, njemu u čast, utemeljen muzej Ilijanum. Ljetos sam u izlogu jedne male knjižare, u zaturenoj uličici, dvadesetak koraka od Knez Mihajlove, ugledao knjigu »Svet po Iliji«. Objavljena u koprodukciji »Instituta za normalnost i kulturu promene« i Fonda Ilija&Mangelos, ova lijepa, s mjerom i osjećajem napravljena monografija jedno je od onih rijetkih, po svemu iznimnih djela koja njihov čitatelj, gledatelj i posjednik, koristi kao svoju osobnu iskaznicu, ali i kao precizno objašnjenje načina na koji se ova kultura obračunavala s onima koje ne bi uspjela utjerati u svoje uske i plitke formate.

Scena kada Ilija Bosilj pred četveročlanim komesarijatom stvara svoju sliku, da bi jednu kulturnu sredinu, a zatim i cijelu Jugoslaviju, uvjerio u to da uopće postoji, jedna je od najintenzivnijih i najtačnijih slika naših povijesti i sudbina. Činjenica da o tom događaju ne postoji baš nikakva refleksija, deprimantna je kao i tolike druge činjenice hrvatske kulture. Sitna, ruševna i jadna danas je njezina građevina: sve zidić do zidića, a svaki sebe doživljava kao da je Kineski zid, ili barem dubrovačka zidina. Nema tu zemlje za Iliju.

# Milena Pavlović Barilli, život i smrt od srca

Kišni je kraj srpnja, skretanje s Autoputa bratstva i jedinstva, pokraj putokaza za Banju Luku. Hrvatski graničari usporavaju kolonu — putnik mora osjetiti kad napušta Državu — a zatim slijedi dug, ravan put, uz koji se ne možeš ni popišati po grmlju, jer grmlja nema, nego slijede kuća za kućom, dugo neprekinuto naselje, kojemu se samo izmjenjuju table s imenima: Dubrave, Rovine, Nova Topola, Aleksandrovac, Laktaši, Mahovljani... Kod Mahovljana je maleni banjalučki aerodrom i komadić od nekoliko kilometara autoceste, jedini koji je postojao u predratnoj Bosni i Hercegovini. Uskoro će i Banja Luka, široki ulazi u grad, pusti, ljetni bulevari i drvoredi, sve do javne garaže u blizini nogometnog stadiona na Boriku, a zatim polako, pješice, prema centru grada, Gospodskoj i Jevrejskoj ulici, Banskome dvoru i Muzeju savremene umjetnosti Republike Srpske. Dižem pogled prema balkonima socijalističkih novogradnji, natrpanim, kao i svugdje, stvarima koje su u stanu višak, a još uvijek nisu za baciti, i na um mi padaju ljudi koji su 1992, i nekoliko sljedećih godina, navrat nanos bježali iz tih stanova, i zatim s dvije najlon vrećice u rukama, tamo gore kod Gradiške ili kod Davora, prelazili u Hrvatsku, pa onda dalje, u svijet, u Kanadu, Ameriku i u vječni zaborav. Skoro da ničega u današnjoj Banjoj Luci ne vidim od tih vremena, ali svejedno, ne mogu o njima da ne mislim. Kasnije, zaustavlja me u dnu

Gospodske neka žena, može joj biti pedeset i koja, pita me je li to imam neku književnu večer, kažem joj da nemam, nego sam samo došao na izložbu, a ona mi govori: »Ja sam vam, znate, iz kralja Tomislava ulice... Ustvari, bila sam. A sad ni sama ne znam odakle sam.«

Milena Pavlović Barilli, a zbog njezine je izložbe ovo putovanje, bila je velika slikarica, ali od njezina djela veći su bili i njezin neostvareni umjetnički dar i život, koji je proživjela između rodnog Požarevca, Italije, Pariza i New Yorka, gdje je umrla u trideset šestoj svojoj godini, na samome kraju rata, 9. ožujka 1945. Taj višak biografije i životne tragike odredio je da Milena postane kultna figura srpske kulture, na čijoj će se sudbini ogledati romanopisci, povjesničari umjetnosti i prve dame prijestolničkih tabloida, tako da će njezin stvarni značaj biti skriven lažnim i krivim riječima, rečenicama i epitetima, poput groba koji se ne vidi ispod gomile cvijeća.

Bila je kći praunuke vožda Karađorđa, visokoobrazovane dvorske dame, i oca Talijana, svojedobno vrlo poznatoga kompozitora, muzičkog kritičara i novinara Bruna Barillija. Slikarstvo je studirala na slavnoj minhenskoj akademiji, ali je vrlo brzo odustala. Nije imala strpljenja, mjesto ju nije držalo, nije joj bio obećan dug život. Rano joj je, još kao djevojčici, ustanovljena urođena srčana mana, a i vremena su bila burna i divlja, i teško da je netko Milenina dara, obrazovanja i interesa mogao dugo ostajati na jednome mjestu. Bit će da slave i nije mogla biti svjesna: njezine dječje crteže u Rimu je hvalio sam Ivan Meštrović, docnije je upoznala Bretona i sve mondene umjetničke autoritete svoga vremena, o njezinim je ranim slikama ekstatično pisao sam Jean Cassou, Giorgio de Chirico je, nakon Milenine smrti, žalio što joj nije dao većeg podstreka...

Nije se stigla odlučiti za jedan, vlastiti put u slikarstvu. Život i temperament bacali su je s kraja na kraj, iz ekstrema u ekstrem. Tridesetih naslikala je niz nadrealističkih platna, ali je, skoro u isto vrijeme, slikala gotovo klasične obiteljske portrete i autoportrete. Na izložbu u Banju Luku sam se i zaputio da uživo vidim »Autoportret s bijelom kapom«, koji je slikala 1929, kao dvadesetogodišnja studentica minhenske akademije. To je jedna od onih slika koje me prate dugo, valjda od početka osamdesetih, na kojima se osjeti duh dvadesetih i tridesetih godina, onoga vremena u kojemu je ostao i živi najvažniji, estetski i narativno najprisutniji dio moje privatne, porodične i socijalne povijesti. Po tom Mileninom autoportretu, kao i po još nekolicini studentskih slika, načinjenih pod utjecajem kratke i moćne ekspresionističke mode, i danas se, na izložbi u banjalučkom Muzeju savremene umjetnosti, osjeti i vidi kako je velika bila ova slikarica.

Istodobno, Milena je bila živo zainteresirana za modu. S ekshibicionističkim žarom fotografira se, usred požarevačkih avlija i dvorišta, u ekscentričnim kreacijama. Tako mlada i krupnooka, čudnovate, suzdržane ljepote, nastale, valjda, u neobičnoj, plemenitoj mješavini rasa, Milena Pavlović Barilli ne djeluje kao tragični slučaj jednoga balkanskoga i europskog vijeka. Na tim fotografijama, mudro umetnutim u izložbu, ta žena nam, o svome sto i drugom rođendanu i šezdeset i šestoj godišnjici smrti, i danas živo oduzima dah. Milena je umjela da bude fatalna, imala je i za to dara, a čini se da je u tome baš uživala. Način na koji je minula svijetom, demonstrativno oblačeći hlače pred patrijarhalnim svijetom, ali i pokazujući svu svoju ženstvenost i fragilnost pred muškim, kontinuiranim i strogo uniformiranim skandalom avangarde, do dana današnjega, zapravo, nije prešao u prošlost i u jučerašnjicu.

Ljubav Milenina života nije bio njezin muž, Amerikanac i sumnjiv hohštapler, da ne kažemo vucibatina, nego jedan kreolac, kubanski pijanist Rodrigo Gonzales. On ju je, kako se zaljubljeno u pismu povjerila majci, uvjeravao kako između živih i mrtvih nikakve razlike nema. Vjerovala mu je i nije ga prežalila.

U kolovozu 1939. odlazi u New York. Nekoliko tjedana kasnije započeo je Drugi svjetski rat, i ona sa svojim podijeljenim identitetom, ali ipak pretežito Srpkinja, postaje jedan od desetina tisuća emigranata, koji diljem novoga svijeta šire desetine tisuća istina o svojim porobljenim, opustošenim i pobijenim narodima. Izdržavala se slikajući portrete, priređujući izložbe i crtajući izvanredne modne ilustracije (dio njih prikazan je i na banjalučkoj izložbi) za Vogue, Harper's Bazaar, kozmetičku liniju Revlon... Iako nije živjela u blagostanju, niti je pripadala elitnim njujorškim krugovima, Milena se i tada, kao što bi se u Bosni reklo, držala u svom visokom namu, posjedujući onu vrstu bogatstva, koje zavazda biva vidljivo i ne može ga potrošiti ili uništiti nijedna ratna ili emigrantska kataklizma. Umrla je iznenada, od srca, nakon čega je kremirana, a njezin pepeo je 1947. sahranjen u Rimu, na Cimitero Acattolico per gli stranieri, gdje su joj kasnije pokopani i roditelji.

Na banjalučkoj je izložbi pokazan najznačajniji dostupni dio njezina djela. Glavnina onoga što je naslikala u Americi nije mogla biti pokazana, ili je naznačena s tek nekoliko prilično loše izrađenih reprodukcija. Najveću — jer je neočekivana — dragocjenost izložbe predstavljaju neki mali crteži i rane ilustracije, primjerice fantastično lijep, polufigurativni crtež olovkom, naslovljen kao »Muhamed«, kao i ciklus ilustracija uz poemu Milutina Bojića »Plava grobnica«. Šteta što je ova izložba, premda zemljopisno tako blizu, ostala nevidljiva za Zagreb, u kojem je, u neka drukčija doba, u zimu 1979. na 1980, u Umjetničkom paviljonu, bila upriličena retrospektiva Milene Pavlović Barilli. Tko zna sjeća li se toga netko, ima li živih svjedoka...

Slijedi još odlazak na ćevape »Kod Muje«, koji skoro da su kao i prije rata, ali im nešto u okusu ipak nedostaje. Ili nedostaje nepcu i onome koji iza nepca misli i osjeća. No, bit će kako se, ipak, radi o višku, a ne o nedostatku. O onome višku koji me navodi da samo zbog jedne izložbe putujem u Banju Luku, da prolazim krajevima čija će ljepota u meni izazvati dvojna, međusobno suprotstavljena osjećanja, da primjećujem pusta mjesta uz mezarja pokraj puta, na kojima su prije dvadeset godina stajale džamije sa džamijskim haremlucima, da razaznajem katolička zvona koja ugluho zvone i nikoga ne zovu, dok sjedim i jedem svoje ćevape, da osjećam jednaku žalost za one koji u kanadama i amerikama i dandanas nastoje zaboraviti svoje sive banjalučke balkone, kao i za ženu koja veli da je iz kralja Tomislava ulice, u Sarajevu, a zatim se ispravi i kaže da je, možda, ipak, od nigdje... Da bi se ćevapi kod Muje mogli s merakom jesti, valjalo bi u sebi odabrati stranu, samo jednu. Ali zašto bih tada i putovao u Banju Luku i zašto bi me, kao kulturnoga Hrvata, bilo briga za Milenu Pavlović Barilli?

Na povratku, graničari nas propuštaju lako i brzo. U Hrvatsku i u noć, ili ljepše rečeno — u hrvatsku noć, tonemo u slobodnom padu. Pogašena su svjetla na kućama bez fasada, kao da u njima nitko i ne stanuje. Svijetle samo hrvatski autobusi, na parkingu ispred hrvatske krčme. Dugo su kroz Bosnu trpjeli, i sad se napokon mogu popišati po svom.

# Ivan Kožarić, Sunce na smetlištu

Neki dan su u Bogovićevoj ulici skupljali krupni otpad. A ta vam je ulica, znate, natrpana kojekakvim ugostiteljskim inventarom, stolovima, stolicama, suncobranima, plazma televizorima, plinskim grijačima i gutačima zraka, i koječim drugim što je, zajedno s gostima i konobarima, nekome gunđalu, kakav sam i sam ponekad, čitav jedan deponij krupnoga otpada. E, ali onda, pogađate, nigdje mjesta za onaj zvanični krupni otpad, što bi ga stanovnici Bogovićeve izbacili iz svojih stanova i s tavana. Jedino gdje bi se našlo mjesta je onih pet–šest metara, gdje se prekida niz ugostiteljskih objekata, jerbo tu stoji skulptura Ivana Kožarića »Prizemljeno Sunce«, jedan od onih genijalnih, a tako rijetkih likovnih radova, koji će, gdje god ih se postavi, privlačiti pažnju, nagovarati ljude da reagiraju, izazivati razne emocionalne, duševne, intelektualne reakcije, provocirati zbivanja i predstavljati klicu nekoga društvenog života. Kada nije velika gužva, nađe se tu dječarac, obično vrtićke dobi, pa pokušava zakotrljati Sunce. Ili se uz njega smjeste puhači balona od sapunice, ili po Suncu, u neko gluho doba dana ili noći, čeljad s marker flomasterima ispisuju svoja imena, i tako se bore protiv prolaznosti, povjeravajući Suncu i njegovoj dugovječnosti svoje sitne i nebitne zemaljske egzistencije. Kada bi nam, u našim djetinjstvima, govorili da smo razmaženi, obično bi spomenuli nekoga djeda ili baku, koji nas previše vole, toliko da bi nam »skinuli sunce s neba«. Puno kasnije, u svojim odraslim samoćama, čamotinjama, opustošenim i razbaštinjenim maštama, shvatili smo, ali već je bilo gotovo, da se voljeti može samo premalo, a nikako previše. Ivan Kožarić nam je tada skinuo sunce s neba, ali nismo bili impresionirani. Kada su ga postavili ispred Hrvatskoga narodnog kazališta, neki od nas su se toliko razbjesnili, da su nasred ceste zaustavljali svoje automobile, samo da se obračunaju s »Prizemljenim Suncem«. Skulptura je sklonjena u Bogovićevu, valjda zato što se u toj ulici mogu razgnjeviti samo pješaci, a njihov je gnjev obično manje opasan od šoferskoga gnjeva.

I kao što rekosmo, za krupni otpad nije bilo drugoga mjesta od onoga uz Kožarićevo Sunce. I stanari što će, nego da ga dopola zatrpaju svojom kramom, po kojoj su onda danima prekopavali Cigani, koji se iz predgrađa dovezu u svojim prastarim kombijima, i onda uz pomoć nekih svojih alkemičarskih vještina smeće pretvaraju u antikvitete ili barem u sekundarne sirovine. Ono što ostane iza njih i njihovih zlatnih ruku, doista jest samo smeće. U Bogovićevoj se usred toga najgoreg smeća našlo »Prizemljeno Sunce«. Na njega je netko nalijepio i papir s natpisom: »Pozor! Ovo nije glomazni otpad! Ne dirati!«

Na kraju je došao Damjan Tadić s fotografskim aparatom i snimio ono što je vidio. U novinama i na web portalu, njegova je slika objavljena kao izvještaj fotoreportera. Međutim, istodobno, Tadićeva je fotografija osviješteni umjetnički rad. Pa kao što je, primjerice, Braco Dimitrijević originalne radove svoga oca, velikoga bosanskog i jugoslavenskog slikara Voje Dimitrijevića, aranžirao različitim upotrebnim predmetima i dovodio u razne kontekste, tako je Damjan Tadić prepoznao kontekst, koji je nastao slučajnom ili neosviještenom intervencijom stanara Bogovićeve ulice, romskih sakupljača sekundarnih sirovina i anonimnog građanima, koji se pobojao da bi

Kožarićev rad mogao završiti na deponiju. Do umjetničkoga čina došlo je tek Tadićevim fotografiranjem.

Slika Sunca na smetlištu višestruko je zanimljiva. Osim što se sam Kožarić više puta poigravao smećem i koristio ga u svojim radovima, Tadićeva je fotografija komentar fascinantne kipareve vještine da stvara djela koja ne samo da korespondiraju s prostorom u koji su smještena, nego te skulpture proizvode nove kontekste, žive i komuniciraju, tako da ih gledatelj pomalo doživljava kao živa bića, a ne kao umjetničke objekte. Po »Prizemljenom Suncu« šaraju i nagrđuju ga, ali ono je, u biti, nedodirljivo, jer i tako išarano, uprljano i pomračeno, Sunce je i dalje onakvo kakvim ga je Kožarić načinio. Kukati nad time što je nagrđeno, skoro jednako je besmisleno kao i kukati nad jesenjim i zimskim nebeskim Suncem, koje će biti prekriveno maglom, smogom i oblacima. Koliko god koštalo njezino povremeno pozlaćivanje, integritet Kožarićeve skulpture je nemoguće narušiti. Ona postoji, velika i sjajna, čak i između stolova i suncobrana, a kada se nađe usred krupnoga otpada, i onda takvo sunce fotografira Damjan Tadić, čovjek ugleda nešto od čega mu — dozvolimo si i tu pulmološku patetiku — doista zastaje dah. I na kraju krajeva: jebe nam se, živo, hoće li Sunce završiti na kosmičkome krupnom otpadu, jer dogodi li se to, nas i naše civilizacije, naših emocija, skupa s djedovima i bakama što su nam skidali Sunce s neba, više neće biti.

Naravno, poneki će kunsthisterik, Glavašev ljepoduh iz 1991, zavapiti bolešljivo nad skrnavljenjem Kožarićeva rada, i bit će to, opet, onaj sitni, malograđanski bernhardovski fašizam, ali čak ni on neće naškoditi »Prizemljenom Suncu«, premda je, objektivno govoreći, štetniji i od tavanske krame, i od štakora, golubova i mikroorganizama, koji su tu kramu, eventualno, naseljavali. Djeci, slučajnim prolaznicima, običnome svijetu, psima i mačkama, ostaje samo da žale što nije bilo više prilika da Kožarićevi radovi izađu iz galerija, muzeja i ateljea. Recimo, šteta što nije realiziran onaj divni »Nazovi je kako hoćeš« projekt skulpture koja bi opkoračila Vukovarsku i Savsku ulicu, mekana i zaobljena, grandiozna, a istovremeno nekako i malena, nalik na slavoluk, koji je, možda, i slonoluk. S njime bi, s tim slonolukom, Zagreb bio malo ljepši, a možda i puno sretniji grad. Cilj umjetnosti, naravno, nije da usrećuje (možda, ali pomalo, da — uljuđuje), ali Kožarićevi radovi, obično, imaju nešto usrećujuće, šašavo na način ranih književnih i likovnih avangardista. Tako je i Bogovićeva sretnija od drugih ulica upravo za ono Sunce. Pogledajte samo ljude oko te skulpture...

Ivan Kožarić kipar je od zanata i od velikoga, pomno odgajanog i uzgajanog, zanatskoga i likovnog dara. Ali Kožarić je i performer, akcijaš, post-objektni umjetnik, jedan od onih koji su, biva, prezreli kist, paletu, čekić, dlijeto. Ali prezreti se može samo ono čime se, je li tako, vlada. Kao što, recimo, suprotno praksi hrvatskih književnih antitalenata, realistički prozni prosede može prezreti samo onaj koji njime vlada. Najpametnije je, međutim, biti i jedno i drugo: graditelj i rušitelj, pripovjedač i brbljivac, Vojo Dimitrijević i Braco Dimitrijević, Kožarić i Kožarić... Ono što Kožarića, međutim, čini genijalnim u njegovome dvojstvu, jest to što nikada nije prerastao djetinju maštu, nije izgubio ono od čega je, u ranim danima naših života, bio sačinjen svijet. Recimo, svojedobno je bio slavan — danas nepravedno zaboravljen — Kožarićev portret Tuđmana s brkovima. Zapazio je, naime, da na njegovome licu postoji nešto čega u stvarnosti, ili u suhoj deskripciji stvarnosti, ustvari nema, a to su brkovi. Ne, nije se radilo ni o kakvoj šupljoj metafori, niti se umjetnik izrugivao tadašnjem svemoćnom predsjedniku. Samo je gledao njegovo lice, fizionomiju, nos, oblik gornje čeljusti, usne, i shvatio je da taj čovjek mora imati brkove. Neko pažljivo i pametno dijete moglo je razumjeti o čemu Kožarić govori. S odraslima je već puno teže. Ili ne vide, ili misle da iza svega što se kaže postoji i nešto što se nije reklo, a što je veće i važnije. To je način na koji na svijet gledaju ljudi osiromašene imaginacije, a ona je po zdravlje i po život zajednice i pojedinca opasnija od osiromašenoga urana.

O svemu ovom govori i fotografski rad Damjana Tadića, načinjen dok je bio na radnome zadatku fotoreportera Jutarnjeg lista. Dogodi se nekada tako da se u istome času, o istom poslu, sretnu umjetnost i novinarstvo. Ovaj je rad bio moguć jer je Tadić znao u što gleda. Umjetnik nije ćorava kokoš.

# Robert Schumann, ludilo u vrijeme karnevala

Ujak moje majke Rudolf Stubler, nesvršeni bečki študent matematskih i tehničkih znanosti, imao je tri omiljena kompozitora: Schuberta, Schumanna i Brahmsa. Nikada se nije ženio, radio je kao računovođa, ali ne više nego što je bilo nužno da se može ugodno živjeti. Nikada nije imao svoj stan, nego je živio kao podstanar kod rodbine. Zabavljao se rješavajući matematske probleme iz stručnih časopisa koji su mu stizali na kućnu adresu sa svih strana svijeta. Svirao je violinu, jer za klavir nije imao dovoljno prostora. S prijateljima je, u vrtu, iza pčelinjaka, igrao preferans. Razgovarao je s pčelama, vrcao je med i vjerovao u Boga. Iz daleke budućnosti iz koje ga danas gledam, moj se praujak, možda, čini čudakom. Ali u ona vremena, tridesetih, četrdesetih, pa sve do sedamdesetih i sve do prosinca 1976. kada je umro, svojim je pogledom na svijet, načinom života, a onda i glazbenim ukusom, reprezentirao cijeli jedan sarajevski svijet sitnih činovnika, srednjoškolskih i fakultetskih profesora, urara i visokih željezničarskih i poštanskih službenika, kuferaša i dotepenaca sa svih strana Monarhije, Čeha, Nijemaca, Poljaka i Židova Aškenaza, onih mojih sarajevskih i bosanskih Hrvata, po čijem sam kompliciranom i delikatnom identitetu danas rak samac, i tu gdje živim, i tamo gdje sam nekoć živio. Njihovoga svijeta više nema, kao što nema ni svijeta Singerovih Židova, ali dok ga je bilo, njegov soundtrack kroz dvadeseto stoljeće bio je udešen uglavnom u suzvučju njemačkoga romantizma.

Dok su mu oko glave zujali rojevi pčela, moj Nano (bio je to njegov obiteljski nadimak) pjevao bi im Schubertove i Schumannove liedove. Danas, kada se sam vozim po Zagrebu, i slušam velikoga baritona Dietricha Fischera Dieskaua kako pjeva Schuberta, pa tako prizivam svoje mrtve rođake, u toj sjajnoj izvedbi, u kojoj živo vibrira duh jednoga vremena, nešto mi, ipak, nedostaje. Nije savršen Der Erlkönig, ako ga ne slušam uz zuj pčela.

Pamtim Schumannovo »Sanjarenje«, kratak i intenzivan fragment čiste glazbe, s gramofonske ploče donesene s Naninog zadnjeg putovanja u Beč, pamtim njega i njegovu trojicu prijatelja, kako u ovakvo ljetno popodne sjede u zamračenoj sobi, i zatvorenih se očiju blago ljuljaju, kao da su na nekom prekooceanskom brodu. Stojim na vratima sobe, gledam ih i zapravo mi ništa nije jasno, ne osjećam da se u mene upravo zauvijek utiskuje jedna glazba, kao šifra i kao identitetski znak, utiskuje se poput neke privatne himne, koju ću jasno čuti i kada je ne budem slušao ili o njoj razmišljao. Sve do nedavno, do konačnoga pustošenja svijeta moga djetinjstva, o Schumannovom »Sanjarenju« nisam mislio, premda sam ga jasno čuo, a zatim i vidio u figuri moga praujaka Rudolfa Stublera.

Glazba Roberta Schumanna bolećiva je, tužna i djetinja. Svaka romantičarska emocija kao da je u njoj još za nijansu prenaglašena. Schumanna se obično smatra začinjavcem, ističe se njegov utjecaj na Brahmsa i vrlo često ga se doživljava više kao kulturološku činjenicu, nego kao zbilja velikog kompozitora. Ali na Ilidži i u Sarajevu, u ona vremena, bio je, u tim kuferaškim serklovima, jedan od nekolicine najvećih. Možda je to presmion zaključak, ali kao da je u toj sarajevskoj dolini, silno udaljenoj od Beča, u kojoj se talent za tugu vazda cijenio, što je vidljivo u književnosti toga grada, ali i u njegovim kafanskim pjesmama i sevdalinkama, Schumannov djetinji očaj bio bliskiji i razumljiviji nego drugdje.

Neki dan sjedim ispred knjižare Stubova kulture, u Beogradu, i čitam tjedni kulturni dodatak Politike, iz kojeg saznajem da je 2010, u njegovom rodnom Zwickauu, proglašena za godinu Roberta Schumanna. Rođen prije točno dvjesto godina, kao peto dijete, u obitelji knjižara Augusta, neuspješno je studirao pravo, nakon čega se počeo baviti glazbom. Otac mu je rano umro, u stanju potpunoga duševnog rastrojstva. Majka je cijeloga života bolovala od neke duboke depresije. Sestra mu se ubila. Robert Schumann u glazbu je ušao u stanju potpune životne i egzistencijalne nesređenosti, koja mu nije dopuštala da ikada zbilja odraste. Kao vječni žalosni dječak pisao je virtuozne i dramatične klavirske koncerte, koji su, izrazitije nego u većine genijalnih nesretnika iz književne, slikarske ili glazbene povijesti, predstavljali ogledalo njegove duše. Kako ni u jednom trenutku vlastiti život nije imao pod kontrolom, Schumann ga je pretvarao u umjetnost. Ima nečega gotovo indiskretnog u iskustvu slušanja njegove glazbe.

Njegova biografija uglavnom je lažna, i podsjeća na kakav tabloidni devetnaestostoljetni mit. Za nastanak mita vjerojatno je najzaslužnija supruga Clara, velika pijanistica, čiji lik poznajemo s one, srcu drage, novčanice od sto njemačkih maraka, koja je zlosretnog Roberta nadživjela za punih četrdeset godina, ili za cijelu jednu eru u kojoj je, pored svega drugog što je ova velika žena radila, u velikoj mjeri kreirala stav javnosti prema svome pokojnom mužu.

Prije navršene četrdesete Schumanna su počele hvatati teške psihičke krize, smjenjivali su se melankolični i depresivni ispadi, a njegova uobičajena socijalna nesklapnost i nedoraslost, bivala je dodatno naglašena. Na kraju je još samo u glazbi i kroz glazbu i mogao funkcionirati. I onda se dogodio krah, u jednoj od najslikovitijih, sasvim literarnih epizoda devetnaestoga stoljeća: u Düsseldorfu, gdje je radio kao gradski muzički ravnatelj, u vrijeme karnevala, dok je cijeli grad bio u maškaranom ludilu, Schumann je doživio vrhunac svoje krize i, nošen anđeoskim pijevom i uplašen pred drekom demona, skočio je u Rajnu, u pokušaju da se ubije.

Nakon toga su ga strpali u ludnicu, iz koje više nikada neće izaći. U naredne dvije i pol godine, koliko je još živio, Clara ga je samo dvaput obišla. Dvadeset devetog srpnja 1856. nad njim se konačno spustio mir, i mrak. Uskoro priča o Robertu Schumannu, koju su pričali njegova udovica i svi koji su za njim ostali, više s njime nije imala nikakve veze. Možda je on doista od rane mladosti bolovao od sifilisa, a možda i nije. Možda je zbilja njegovo ludilo bilo posljedicom spolne bolesti, možda je uistinu bakterija treponema pallidum rastrojila i rastavila njegovu dušu, a možda i nije. Nepodnošljivo tužan bio je Schumannov život, jer zapravo nije imao nikoga svog, uz koga bi, poput stabljike graška, najprije mogao uzrasti, a zatim i živjeti. Istina je takva čak i ako je bolovao od sifilisa. Ako, pak, nije, tada su bolest izmislili oni koji su mu trebali biti najbliži, ne bi li sifilisom rasteretili svoje savjesti.

Rudolf Stubler živio je u vrijeme kada je klasična glazba još uvijek bila živa kulisa našega građanskog i malograđanskog svijeta. Iz današnjice, iz te daleke budućnosti svijeta, teško je i zamisliti da je bilo tako. Stoga su i njihove biografije, stvarne ili izmišljene, bile nalik stvarnim i izmišljenim biografijama Roberta Schumanna ili Franza Schuberta, koji je, nesretnik, umro od trbušnog tifusa. Taj svijet iz kuferaških godina onoga Sarajeva, još je sedamdesetih godina dvadesetog stoljeća živo osjećao i vidio tlapnje, muke i priviđenja onoga čiju dvjestotu godišnjicu Zwickau i cijela Saksonija slave tijekom 2010. I ja sam, makar kao dijete, taj svijet doživio, pa svaki put osjetim neku dragost kada me požele uvrijediti time što kažu kako ono što pišem pripada devetnaestom vijeku. I opet vidim Nanu i njegove drugove, u zamračenoj sobi, u Kasindolskoj ulici, na Ilidži, kako se u vreo ljetni dan ljuljuškaju i uz Schumannovo »Sanjarenje« plove daleko. Daleko i davno.

# Yehudi Menuhin, koncert za Boga i violinu

Ne znam koliko sam imao godina, ni koje je bilo godišnje doba kada je Yehudi Menuhin svirao u Sarajevu. Pamtim da je bilo jutro, prolazili smo, moja nona i ja, Ulicom JNA, i kad smo naišli pokraj Radničkoga univerziteta Đuro Đaković, nona me je povukla za ruku, privučena muzikom što se čula iz dvorišta. Tamo je ispred ulaza u dvoranu stajao muškarac u fraku, neobične fizionomije, kao da je sišao s neke stare crno-bijele fotografije, i svirao violinu. Oko njega nije bilo nikoga, samo neka gospođa na povratku s Markala, s prepunim cekerima u rukama, i stariji muškarac u radničkom mantilu, vjerojatno ložač ili domar dvorane. Ovo je sigurno reklama za Menuhina, rekla je žena. Ne, ovo je Menuhin, rekla je nona.

Događaj mi se upisao u pamćenje na način kako se čovjeku upišu neki snovi, pa ih, neobjašnjive, dugo pamti, i tako ih se sjeti, a da ne zna zašto ih se sjetio, što mu govore, i koji su ga dnevni događaji takvim snovima vodili. Kasnije će u životu taj kratki i nenajavljeni jutarnji nastup velikoga violinista poprimati druga značenja, sve dok ne povjerujem kako mi se sasvim razjasnio. Yehudi Menuhin stajao je ispred malenog monumenta, koji je i danas pred ulazom u dvoranu, na kojemu piše da su ovu zgradu sarajevski Jevreji poklonili »svome gradu«. Tu je do 1941. bila nova sefardska sinagoga, najljepša i najveća od svih sedam sarajevskih sinagoga. Zatim je gradski ološ, nekoliko dana prije nego što će ustaše preuzeti vlast, provalio u hram, i načinio »veliki kvar«, koji nikada neće moći da bude popravljen. Nakon rata ranjena i desetkovana Jevrejska opština svoje aktivnosti svela je na bivšu aškenasku sinagogu, a grad je dobio lijepu, čudesno akustičnu dvoranu, u kojoj su se održavali koncerti klasične glazbe, a kada nije bilo koncerata, radilo je kino. Menuhin je stajao ispred monumenta, i bez kamera, fotografskih aparata i namjernika, samo dvjema ženama, ložaču i dječaku, svirao.

Kao što pamtim tu sliku, zapamtio sam i muziku. Godinama sam vjerovao da ću jednom otkriti kako se zove to što je Menuhin svirao. Još u vrijeme kada sam došao u Zagreb, znao bih oslušnuti čim odnekud začujem violinu, ili prstom dokono pretrčavati po kompakt diskovima u glazbenome dućanu, ne bih li negdje po nečemu prepoznao Menuhinovu melodiju. Sada znam da tu muziku nikada neću naći. Potraga za njom od početka je bila uzaludna, kao kad se čovjeku dogodi da smeten u zbilji traži nešto što je čuo ili vidio u snu. U toj smetenosti protekao mi je ozbiljan komad života. Ali čim čujem violinu, ja ću i dalje vjerovati da ću iz nje začuti Menuhina.

Prije osam godina, u posljednjem razgovoru koji smo vodili, upitao sam Aliju Izetbegovića — pod dojmom njegove vjere — odakle mu takva sigurnost da Bog postoji. To je jednostavno, odgovorio mi je, pogledajte samo glavu maslačka i njezinu strukturu, tu nevjerojatnu arhitektoniku, savršeno simetričnu, čovjekovoj kreaciji nedosegljivu, koja drugog smisla nema, nego da bude takva kakva jest i da svjedoči o svome tvorcu. Tko je mogao stvoriti glavu maslačka, ako nije Bog?

Kada je 1930. čuo trinaestogodišnjeg Yehudu Menuhina, Albert Einstein je, potpuno potresen rekao: »Sada znam da na nebu Bog postoji!« Dječakova muzika je za Einsteina bila čudo maslačka. U toj glazbi ima nečega što ljudima obično nije dano, čak ni kada su veliki umjetnici, a što čovjek čuje, vidi, pročita ili osjeti rijetko u životu — ili možda nikad — i za što mu se učini kako nije i ne može biti s ovoga svijeta. Ili možda jest, pa je načinjeno od onoga što je najljudskije, i što je baš time onda najbliže Bogu (nije u vezi s temom, ali u ove božićne dane moram reći: od toga kad katolički popovi blebeću o seksu, gore je samo kad obezduhovljeni ateisti drve i trune o Bogu!).

Jednom je, dok su putovali vlakom iz Kölna prema Hamburgu, Marcel Reich-Ranicki upitao Menuhina tko je najveći živi violinist. David Oistrach, odgovorio je: »U njemu se krije ciganski violinista!« A onda je, da ga sugovornik slučajno ne bi krivo shvatio, rekao i to da se u svakome velikom violinistu krije jedan mali Ciganin. Tu usput izrečenu tvrdnju, često je životom svojim i sviranjem jasno demonstrirao. Treba ga, recimo, poslušati kako se prilagođava kolegama iz drugih žanrova i drukčijih muzika, tako onda i Raviju Shankaru i Stephaneu Grappelliju, pa čuti kako ponekad, kada zatreba i kada se tako treba čuti, njegova violina postaje škripavo cigansko ćemane. U rukama genija, genijalno biva i njegovo ćemane. Menuhin nije bio ni najmanje ceremonijalan muzičar, svirao je uvijek, na svakome mjestu i sasvim iz sebe. Nije postavljao uvjete, insistirao, tražio grobnu tišinu, mir i svetost pozornice (ako bi vidio da ljudi na njegovome solističkom koncertu stoje po dvorani, zvao bi ih na scenu, da posjedaju oko njega). Za muziku mu nije trebalo nikakvo drugo čudo osim muzike same. A i to je tako ciganski način u umjetnosti.

Yehudi Menuhin rođeni je Njujorčanin, podrijetlom Bjelorus, iz drevne rabinske obitelji. Otac mu je nadjenuo ime da ga ono kroz život prati kao znak, da ga zli istog časa nanjuše i da on nauči prepoznavati zle. Ali već je 1947. svirao u Berlinu, zajedno s Berlinskom filharmonijom, kojom je dirigirao Wilhelm Furtwängler. Prije i nakon toga, slavnoga je dirigenta zdušno branio od optužbi da je kolaborirao s nacistima. Yehudi Menuhin bio je prvi Jevrejin koji je nakon holokausta došao svirati Nijemcima. Bio je prvi čovjek koji je narodu ubojica pružio ruku. Kad god se civiliziran čovjek upita da li bi trebao ići onima u ime kojih se činilo zlo, pa čak i onima koji su, u času vlastite slabosti, bili ravnodušni prema svakome zlu, morao bi se sjetiti Menuhina.

Drugi put, Yehudi Menuhin svirao je u Sarajevu 12. listopada 1996. Mogao sam otputovati na taj koncert, u grad u kojemu je nedavno završio rat, i dalje je nestajalo vode, a sve ruševine još nisu bile raščišćene. Ali ono što se jednom davno dogodilo kao u snu, veće je i važnije od svega čega je te večeri moglo biti u stvarnosti. Jedno je veliki umjetnički doživljaj, a drugo je ono što je ugrađeno u čovjeka i što postoji i traje na način na koji postoje ruke, noge i glava. Menuhin se onoga jutra ugradio u me. Zato nije trebalo da odem na drugi njegov sarajevski koncert.

# Boško Petrović, džezist iz građanskog podzemlja

A znaš li ti, balavac jedan, tko je bio Josef Lada? — upitao me kada sam prišao njegovome stolu, koji je, poput kakvog podija, bio uzdignut nad klubom. Da, odgovorio sam, čovjek koji je nacrtao Josefa Švejka. Zatim me je ljutito gledao, pučeći onu svoju debelu, pomalo otomansku usnu ispod crnog brka, kao da ne zna što bi mi dalje rekao, ili kao da upravo želi pokazati da je i njega, takvog okruglog, u demodiranom pepito sakou, i s tim dragim, neobičnim licem, nacrtao Josef Lada. Vremena su bila gadna, ljeto 1993, pa je u belome Zagreb gradu, i za njega s tako kvrgavim imenom i prezimenom, ali i za mene koji sam se netom dotepel iz opsađenog Sarajeva, bilo bolje da izgledamo kao da nas je obojicu Lada nacrtao, tako da nismo stvarni, tako da nas nema, tako da smo samo ilustracija na margini velikoga hrvatskog povijesnog preporađanja što se događalo svuda oko nas.

U sljedećih petnaestak godina još me je bezbroj puta tako pozivao da priđem njegovome stolu: samo bi me nijemo i ljutito vabio kukom svoga kažiprsta, kao da je narednik što po gradu lovi vojnike koji bez dozvole izađu iz kasarne, da bi me zatim strogo upitao: jesi li čitao Buku i bijes, jesi li čuo za Borisa Viana, jesu li tvoji dobro... Jesu li tvoji dobro? To pitanje postavio mi je dan nakon što je, pred kraj rata, na tržnicu Markale pala granata i pobila sav onaj svijet. Pitao je to istim tonom kao i sve drugo, nastojeći da ostane smiješan u toj svojoj igri. Ne sjećam se više je li me još netko tih dana upitao jesu li moji dobro. Za većinski je Zagreb Sarajevo tada bilo daleko kao Islamabad. Svako je znao samo za svoju muku.

Tih sam godina, od ljeta 1993. sve do Tuđmanove smrti, stotine večeri i noći proveo u BP Clubu. S tog sam mjesta prijatelje ispraćao u Ameriku, Kanadu i Australiju, da ih godinama, ili više nikad, ne vidim. Tu sam se opijao istarskom grapom, od koje me nikada nije zaboljela glava, učvršćivao sam prva zagrebačka prijateljstva — do danas nijedno nije opstalo, zaljubljivao se u žene čija lica još pamtim ali im se ne sjećam boje glasa. Ili bih svu večer sam sjedio, čitao sutrašnje novine, neku knjigu; smišljao priče iz Sarajevskog Marlbora i Mame Leone, možda samo uživao, onako prazne glave, ne misleći ništa, dok je okolo nas sve brže prolazilo vrijeme. On me u tome nikada nije ometao. Ili bi glasno — da ga svi čuju — naređivao konobaru Milanu, bivšem pomorcu i Konavljaninu, da provjeri balavca je li punoljetan. Ako nije, neka ga izbaci iz lokala. Ako jest, neka mu donese još jednu grapu, na račun kuće.

Bio sam šokiran Zagrebom u kojem sam te 1993. na kraju i ostao. U samo nekoliko dana zaboravio sam da sam u taj grad dolazio i prije rata, da sam u njemu dugo boravio i da sam ga volio. Da me je netko 1989. upitao u kojem bih gradu na svijetu volio živjeti, odgovorio bih — u Zagrebu. Tada je to bio moj stejtment. Vjerojatno zato ovaj novi, Tuđmanov Zagreb nisam ni prepoznavao u svojoj uspomeni, nego sam ga morao nanovo vidjeti, doživjeti i upoznati. Njegovu živu ljepotu, unutarnju toplinu i tu ganutljivu distanciranu prisnost, upoznavao sam u BP Clubu. Kažem li da volim ovaj grad, to mjesto i ti ljudi prvi će mi na um pasti. Kažem li da ga ne volim, reći ću to na takav način da oni uvijek budu izuzeti.

Recimo, pamtim kako sam u zimu neke od tih godina iz dana u dan sjedao za stol bliže šanku, i očekivao da naiđe Mladen Raukar. Pravio sam se da čitam knjigu, a ustvari sam slušao njega kako govori. Nije mi bilo važno o čemu on to razgovara sa svojim prijateljima, s konobarima ili s Boškom, niti sam se predavao tom čudesnom daru za anegdotu i trač, u kojem nije bilo ama baš ničega trivijalnog. Uživao sam u Raukarovoj intonaciji i u njegovim naglascima, u sintaksi i leksiku onoga Zagreba koji sam cijeloga života više zamišljao, nego što sam ga mogao poznavati sa crno-bijelih fotografija, iz filmova i iz knjiga, iz noninih i nonetovih priča i predratnih sjećanja. Doista, dogodilo mi se da sam u Zagreb stigao malo prije fajrunta, prije nego što će ta posljednja gradska gospoda u pristojno vrijeme i bez puno galame otići svojim domovima i sa ovoga svijeta.

O koncertima u BP Clubu danas ne bih. Ne bih ni o Boškovim pločama, o zvuku njegovog vibrafona, ni o tome kako bih ga svaki put sreo kada bih ljeti, u vrijeme Motovunskog festivala, navratio do Grožnjana, ni o tome kako on tada nije glumio crtež Josefa Lade, niti je postavljao svoja pitanja, nego se samo pristojno veselio susretu. Neka cijela priča danas ostane na mjestu na kojem sam ga upoznao, tu gdje sam ga najčešće viđao, i neka u toj priči vibrafon, bubnjevi i ostali instrumenti stoje odloženi na pozornici, kao što su obično preko dana stajali.

Boško Petrović bio je veliki europski džezist i krupna figura hrvatske kulture. Tako će to, sigurno, negdje jednom pisati, i tako je to već rečeno u nekrolozima i u ucviljenim izjavama uglednika, koje su izlazile po novinama na dane karmina. Ali bio je on u zla doba i društveni ceremonijal-majstor u tih dvjestotinjak kvadratnih metara jednoga zagrebačkog podrumskog kluba. Intelektualac i klaun, svjetski glazbenik i lokalni slučaj, kosmopolit i malograđanin, apolitični frik i mudrac, savršeno svjestan u kakvome gradu i u kakvoj zemlji živi i kojim je ljudima njegov klub bio njihovo manjinsko utočište,

Boško Petrović istovremeno je, i u svakome trenutku u tih nekoliko tisuća bipijevskih noći, bio veliki i mali čovjek, važan i beznačajan, slavan i savršeno anoniman, štitio je druge i bivao je štićen. Pritom, do kraja je odživio sudbinu poslijeratnog istočnoeuropskoga džez pionira: pio je, lumpovao i trošio se, baš kao po kakvome udžbeniku svoga muzičkog žanra. Kao da se drukčije ne može i kao da je neka normalna građanska egzistencija, koja bi bila u skladu s kardiovaskularnim preporukama i stanjem bubrega i jetre, izdaja džeza i svih velikih džezera koji umirahu zbog manjka svakodnevne urednosti i viška furioznih životnih improvizacija.

Početkom dvijehiljaditih prorijedili su se moji odlasci u BP Club. Povjerovao sam u neka kriva prijateljstva, odao sam se društvenome životu, otkrio sam neke generacijske birceve, i na kraju zažalio. Čovjek pogriješi svaki puta kad povjeruje da nečemu, nekoj kolektivnoj ideji, društvu ili zajednici pripada. Najbudalastije je, međutim, kada povjeruje kako ga bliskost datuma u rodnim listovima generacijski određuje. Budalastije je to i od nacionalizma. Tada to nisam mogao znati, pošto sam bio i pomalo glup, ali Boško Petrović moja je generacija. Zato me je i pitao za Josefa Ladu.

# Hasan,
# žudnja za prijateljem

U ona vremena, u anamo onoj zemlji, i slabi su filmovi znali biti dobri i važni. Eto, recimo, film Zdravka Velimirovića »Derviš i smrt«, premijerno prikazan 14. srpnja 1974. na festivalu u Puli, s Vojom Mirićem i Borisom Dvornikom u glavnim ulogama. Bila je to već druga ekranizacija prekretničkoga romana Meše Selimovića. Dvije godine ranije prikazana je televizijska serija »Derviš i smrt«, koju je režirao Sava Mrmak, a šejha Ahmeda Nurudina igrao je Zoran Radmilović. Iako je Velimirovićev film osvojio nekoliko zlatnih arena, uključujući i arenu za režiju, iako je bio jugoslavenski kandidat za Oscara, i dobro je dočekan i od publike, i od službene politike, teško je reći koji je od dva Derviša bio promašeniji. Onaj Mrmkov, u kojemu se šejh Nurudin ponaša kao gnjevni histerik, ili onaj drugi, u kojemu se Voja Mirić, lijep i elegantan, s bijelom ahmedijom na glavi, kreće po avlijama, doksatima i bosanskim gostinskim sobama (kao da je scenografija bila posuđena iz Zemaljskoga muzeja u Sarajevu), kao da ga sa strane fotografiraju senzacija vazda željni japanski turisti. Doista, Velimirovićev »Derviš i smrt« na trenutke podsjeća na one blesave igrokaze, kakve Hrvatska turistička zajednica ili kakva slična firma priređuju turistima, kada svi u nekakvom Dubrovniku ili u Đurđevcu navuku na sebe opravu lokalnoga folklornog društva, i onda zbunjenu strančadiju gnjave nekim svojim savršeno nerazumljivim folklornim pripovijestima. Film je to bez tragike i bez pravoga razloga, posve nesubverzivan, premda je snimljen po jednome od najsubverzivnijih književnih djela jugoslavenskoga socijalizma. Folklorna prošlost bila je Meši Selimoviću samo okvir za njegovu vrlo osobnu i aktualnu priču, a u ekranizaciji nije bilo ničega osim — folklorne prošlosti. Čak je tu i Olivera Katarina nešto pjevala, pa se, pred derviševim očima, odvila i tačka trbušnoga plesa...

Ali, ipak, i tako slab, taj film je za nas dobar i važan. Osim što ga danas gledamo lakše nego što smo ga, kao djeca u nižim razredima osmoljetke, gledali prije skoro četrdeset godina (DVD s filmom može se naći u Konzumovim supermarketima, u velikim trgovačkim centrima, u neobičnoj kolekciji jugoslavenskoga filmskog treša, u kojoj se nađe i pokoji istinski biser), u Velimirovićevom filmu postoji jedna uloga, postoji jedan lik, koji je dovoljan da filmskoj prikazbi, prikazi, a pomalo i nakazi načinjenoj od Selimovićeva romana, pruži vrijedan razlog postojanja. To je lik Hasana, kojeg je odigrao Boris Dvornik.

Uz Kamila Emeričkog i Andrićeva fra Petra, Vekovića iz Davičove »Pesme« i brojgelovsku galeriju Raosovih protagonista, ili prije sviju nabrojanih, Hasan mi je, otkako čitam, najdraži i najfascinantiji lik u književnosti, ili u književnostima pisanim na ovom, evo ovdje, jeziku. Neobičan, drukčiji, kao neki okašnjeli pikaro, orijentalni Felix Krull, on kao da se omaknuo Meši Selimoviću. A možda se, doista, i jest omaknuo, pa se onda i sva genijalnost književna Selimovićeva zapravo — omaknula. Može biti, kažem, da je tako, jer zašto bismo misliti, nemamo nikakvog razloga, da pisci namjerno i s umišljajem pišu svoja najveća djela. Ima u svemu tome i slučaja, ili Božjega rukopisa, što je na koncu isto, samo što ateisti Boga zovu jednim imenom, a vjernici nekim drugim. No, kako god, Bog je, ili slučaj, pomogao ateistu Selimoviću da mu se ukaže Hasan. Taj vedri i otvoreni vjetrogonja, kojega unutrašnja gravitacija i mutni kiridžijski (ili krijumčarski) poslovi vuku prema jugu, prema moru i Mediteranu, pa se otamo, u bosanske i orijentalne magle, vraća sav osunčan, iznutra i izvana, u roman »Derviš i smrt« unosi onu dimenziju koja tu knjigu, ali doista, čini genijalnom. Naime, on u priču o totalitarizmu i o dogmi, o ljudskoj pokvarenosti i o bezdušnome karakteru svake vlasti, u priču o političkome islamu i o komunizmu, o svemu onome ozbiljnom, mračnom i hladnom, sentencionalnom i mudrom, o čemu ste već i u školi učili na satovima lektire posvećenim Selimovićevom romanu, unosi i jednu, atmosferom, tonom i sentimentom, suprotnu priču, priču o prijateljstvu. »Derviš i smrt« je, naime, i roman o prijateljstvu, a kako je istovremeno i mračni roman o totalitarizmu i o dogmi, to je onda i najljepši roman o prijateljstvu. O, kako li se samo na tom mraku dobro vidi Hasan, nasmijani prevejanac i prijatelj načinjen od sve samih poroka, sitnih i nevažnih ljudskih mana. Da nije njega, Hasana, teško bi se mogao čitati Selimovićev »Derviš i smrt«. Iako bi, vjerojatno, u povijesti nekoliko književnosti i jednoga jezika bio jednako važan, ne bi nikada postao taj vekivečni, neprolazni bestseler, što zacijelo jest. Hasan je onaj koji Nurudinovu priču čini ljudskom. On je taj koji čitatelja u njegovim životnim razočaranjima, izdajama i samoćama vraća romanu. Jer nismo mi ničim nalik Ahmedu Nurudinu, jer ni naše nesreće nisu tako velike i historijski zadane, ali sve u nama i u našim sitnim građanskim životima žudi za — Hasanom.

Ako je Zdravko Velimirović, vođen diktatom vremena, a ograničen tko zna kakvim i kojim osobnim ograničenjima, promašio skoro sve u svojoj ekranizaciji Selimovićeva romana, pogodio je s Hasanovim likom. Pogodio je i s izborom glumca, i s načinom na koji ga je vodio kroz priču. Kada danas čitam roman, u njemu ne vidim ništa od filma, niti mi, kako to često biva, lica glumaca zamjenjuju imaginirana lica književnih likova. Ali Hasana uvijek vidim s licem Borisa Dvornika.

Nakon što je pred kraj života postao slavan, i nakon što se preselio (ili izbjegao, prebjegao...) u Beograd, Selimović je govorio da mu je želja napisati roman o Hasanu. Nije ga napisao, i šteta da nije. U ova smutna i mračna vremena, među pogani koja se odriče prijatelja kada, potvoreni, završe u Remetincu, u ovu maglenu hrvatsku jesen, uz karamarkiranje partizanskih zločina i uz predizborne čežnje sve te sitne katoličke čeljadi, koja bi rado zavela neku svoju diktaturicu, u kojoj bi, kao i u svakoj diktaturi, brat izdao brata, dok bi se prijateljstvo smatralo činom veleizdaje, u ova već kasna doba, pred san, bilo bi lijepo čitati roman o Hasanu. Ili imati Hasana za prijatelja.

# Sibila i Tonko, na kraju

Ovog sam proljeća neko vrijeme proveo u policijskoj stanici na periferiji grada. Ispred portirnice, po hodnicima, među sitnim džeparošima privedenim sa remize i penzionerima kojima je netko ukrao novčanik, čekao sam u rano jutro svoj red. Kasnije bih sjedio u kancelariji s dvije stare školske klupe i povelikim metalnim sefom, da policijski službenik, dječarac, tek izašao s fakulteta, u svoj blok upiše ono što sam mu imao za reći. Slijedi još čekanje da se u nekoj drugoj kancelariji sastavi zapisnik i da se sve arhivira, protokolira i uvede u administrativnu povijest policijske stanice, među pokušaje silovanja, pijane viceve o maršalu Titu i komunizmu, provale u stanove i ona dva–tri ubojstva iz strasti. Moje se prijave tu prihvaćaju uvjetno: ako se prijetnje ostvare, ili ako se uznemiravanje nastavi, tada će sve ovo biti dokazni materijal u nekoj budućoj istrazi, u nekom budućem sudskom procesu, ako ih, ne daj Bože, bude bilo.

— Što mislite, koliko je sve to ozbiljno? — pita me dječak, a ja sliježem ramenima.

— Ne znam koliko je ozbiljno — odgovorim u nelagodi.

Dok izlazim van, na parkiralište, među rashrndane policijske škode i prašnjave, stare mercedese bez pločica, valjda zaplijenjene u nekoj raciji, mimoilazim se sa starijim muškarcem u uniformi, koji pod ruku vodi ženu s masnicom ispod oka. Ona viče, da je svi čuju, ali ima nečega u njezinom držanju po čemu se zna da je često tu. Sigurna je u koraku, zna na koju stranu treba skrenuti.

— Rastavlja se od muža — objašnjava portir — evo, već dvadeset godina se rastavlja, otkako ja tu radim.

Sustiže me vedra misao da se, možda, i ja ovo rastavljam od hrvatske književnosti. Smiješno mi je to, jer su sve te anonimne prijetnje, uvrede, dobacivanja po cesti, zapravo proizvod naglo probuđene imaginacije nekolicine uglednih hrvatskih književnika. Ima u tome nečega pozitivnog: inače imaju ozbiljnih problema s imaginacijom, s maštom i izmišljanjem...

Počelo je malo nakon Nove godine i trajalo je, bez mog sudjelovanja, pet ili šest tjedana. O meni, mojim knjigama i političkim nazorima govorili su hrvatski književnici, novinari, voditeljice glavnoga televizijskog dnevnika, poneki političar. Nisam se umiješao, jer ne znam što bih sa svom razbuktalom fantazijom, niti sa gnjevom koji je rastao iz dana u dan i čiji je cilj, očito, bio da me se u nečemu onemogući. Ali u čemu bi me se moglo onemogućiti? I pred kime bi me se trebalo konačno i do kraja osramotiti?

Ta nesretnica, koja svako malo, vičući, u pratnji dežurnoga kvartovskog redarstvenika, dolazi u policijsku stanicu na periferiji, slučajno mi je ponudila odgovor.

To se ja rastavljam. Svaka je rastava na svoj način mučna. Ali moja rastava neće trajati dvadeset godina, ako je o rastavi uopće riječ.

Nekoliko tjedana kasnije objavljen je tematski broj »Književne republike«, časopisa Hrvatskoga društva pisaca, u kojemu su sabrane kolektivne maštarije članova i nečlanova društva o meni, mojim knjigama, političkim nazorima, ali i mojoj bližoj i daljoj rodbini. Sve to s nekakvim uvodnim tekstom, koji je u ime V. V. (60), predsjednika HDP-a i glavnog urednika »Književne republike«, sastavio N. M. (62), član društva o čijem književnom radu ne znam, zapravo, ništa. U tom su tekstu i sljedeće dvije rečenice, što ih je N. M., tako on tvrdi, objavio još 1999, pod pseudonimom Ivan Bogoljub Croata, a sada se, eto, autorski razotkriva:

»Kao što se vidi, nisu ga naciljali, kao što nisu naciljali i mnoge druge mete koje su smaknuli drugi. Skupe su granate, a i ne diže se ruka na rđu.«

Tim se riječima N. M. osvrće na jedan fragment iz »Sarajevskog Marlbora«, te na činjenicu da je autor te knjige preživio petnaest mjeseci opsade grada, prije nego što je doselio u Hrvatsku. Ali da vidimo najprije što je N. M. sve rekao u te dvije rečenice. U prvoj on, u osnovi neutralno, emocionalno dezangažirano, piše da autora »Sarajevskog Marlbora« ratnici s okolnih brda nisu uspjeli naciljati, kao što nisu ni »mnoge druge mete koje su smaknuli drugi«. Tko su te »druge mete«? To nikako nije jasno. Ali možemo pretpostaviti da N. M. misli na one žrtve opsade Sarajeva, koje su ubili branitelji grada, jer samo oni u toj rečenici mogu biti »drugi«. No, u kakvoj su oni vezi, ti branitelji i njihove žrtve, s autorom »Sarajevskog Marlbora«, koji je ostao načisto promašen od svih koji su bilo što i bilo koga ciljali? Ako takva veza postoji, ona je čitatelju ovoga programatskog teksta u »Književnoj republici« ostala zatajena, tako da je on, čitatelj, slobodan pretpostaviti kako veze nikakve nema i da je N. M. želio pokazati da ima razumijevanja kako za žrtve jednih (onih na brdu), tako i za žrtve drugih (onih u gradu). To je hvale vrijedno, premda njegova formulacija sugerira da su sve Sarajlije neubijene od strane onih na brdu, ubili oni u gradu, koji su, pak, ubili i autora »Sarajevskog Marlbora«. Rečenica je to iza koje nema preživjelih. Ili su svi preživjeli — ubojice.

Druga je rečenica zanimljivija, jer se u njoj štošta razjasni, a čitatelj se vraća na pravi put. Stoga je evo još jednom: »Skupe su granate, a i ne diže se ruka na rđu.« Za početak, pisac je, očito, primijetio da je autor »Sarajevskog Marlbora« preživio prethodnu njegovu rečenicu. Zašto je i kako preživio? Pod jedan: zato što su skupe granate da bi se na njega trošile. Pod dva: zato što se ne diže ruka na rđu. Obje tvrdnje, koje čine ovu nepotpunu, ali, ipak, složenu rečenicu, prethodno su već mnogo puta bile izrečene i napisane. N. M. ih preuzima iz kulturne tradicije ili iz društvene povijesti, kao već gotove fraze, a s njima preuzima i sva njihova primarna značenja i konotacije. To je, u književnome stilu, bio on dobar ili loš, pa čak i u svakodnevnom govoru, važan razlog zbog kojega se nešto izriče uz pomoć fraze. Fraza izriče i ono što samo konotira.

Skupe su za njih, ili za njega, granate. Skupi su za njih, ili za njega, meci. Osluhnite malo te riječi. Otkada su one, ovako nanizane, u hrvatskome jeziku? Od 1941. ili 1942. kada su za Srbe, za Židove ili za hrvatsku »rđu« granate i meci bili skupi, pa su, radi štednje i ekonomske krize u kojoj se zatekla NDH, korišteni uže, nož ili malj. Ima u tim riječima onoga specifičnog smisla za humor, koji je jedna od učestalijih posljedica nemoćne imaginacije među pojedinim govornicima i piscima hrvatskoga jezika. Zato je fraza u jeziku i preživjela, prenosila se i pamtila zahvaljujući televizijskim serijama (vidi Nepokoreni grad), filmovima i memoarskim knjigama, i tako neoštećena i cijela došla je do N. M, hrvatskoga književnika.

Čime je autor »Sarajevskog Marlbora« zaslužio da ga se počasti ovom hrvatskom frazom? To se objašnjava sljedećom, epskom, poučnom, skoro pa deseteračkom frazom: »ne diže se ruka na rđu«. Dakle, preživjeli je rđa, i preživio je zato što je rđa, tako da nije do kraja jasno je li on za užeta, noža i malja, jer »granate su skupe«, ili se se ne diže »ruka na rđu«, pa ga treba pustiti na miru ili bi ga trebalo prokinuti nogom ili pljuvati u prolazu. Opet je N. M. u jednoj rečenici nanizao previše riječi, kao da niže samo uvrede i psovke, a ne kao da ispisuje književni tekst u jednome hrvatskom književnom časopisu.

Ne znam, ne zanima me, niti bih poželio zamišljati kako bi se V. V. (60) i N. M. (62) ponašali, kada bi ih, čudom, vremeplov priveo na rodno mjesto fraze za kojom su posegnuli, tamo niz Savu, gdje se 1941. i nekoliko narednih godina moglo ekonomizirati granatama. Ali u njihovim riječima ne vidim, ili ne osjećam, nešto što bi bilo puno veće od uvrede i psovke. Dvije rečenice posvećene mome preživljavanju u Sarajevu napisane su i objavljene, a da istovremeno podrazumijevaju ekstatični užitak i frustraciju svojih autora. Ekstaza, jer nekome smiju reći i to da su granate za njega preskupe. Frustracija, jer ih vlastita imaginacija ograničava i svodi na tu davno čuvenu, otrcanu frazu.

V. V. i N. M. pojave su u hrvatskome društvu kojima se ne bih bavio, koliko god se oni pokušavali baviti mnome. Ako je i za takve nekada bilo vremena, danas ga više nema. Danas me više zanima žena s masnicom ispod oka, koja se već dvadeset godina, tamo u predgrađu, rastavlja od muža. Ali u uredništvu »Književne republike« sjedi još dvoje ljudi. Pjesnikinja i prozaistkinja Sibila Petlevski i pjesnik Tonko Maroević. Oboje su, i Sibila i Tonko, u svome časopisu pročitali:

»Kao što se vidi, nisu ga naciljali, kao što nisu naciljali i mnoge druge mete koje su smaknuli drugi. Skupe su granate, a i ne diže se ruka na rđu.«

Preko ove dvije rečenice oni ne mogu preletjeti, jer nisu ptice i nisu komarci. Oboje su važni i ozbiljni hrvatski pisci, koji su, osim po svojoj književnoj vrsnosti, prepoznati u hrvatskoj književnoj republici, ali i u široj kulturnoj javnosti, kao dobronamjerni, pristojni i profinjeni ljudi. Ako Europe ima u Hrvatskoj, onakve Europe za kojom gledateljstvo čezne gledajući televizijske emisije znanstvenoga ili obrazovnog programa, ako se umijemo diviti oslikanim stropovima talijanske renesanse, ako želimo razumjeti staroga Leara i mladog Hamleta, i ako u svemu tome prepoznajemo nešto što se tiče i nas ovdašnjih, ako Europe, dakle, ima u nama, tada su, sasvim sigurno, Sibila Petlevski i Tonko Maroević među prvim hrvatskim Europljanima i Europejcima.

Sibila Petlevski, autorica »Francuske suite«, danas piše romaneskni ciklus o prvome hrvatskom psihoanalitiku. U jednom širokom novinskom intervjuu, ukrašenom šarenim fotografijama, dobro načinjenim, tako da se i na slikama vidi koliko je pristojna i umna ta žena, Sibila govori da ju je na Viktora Tauska, tako se psihoanalitik zvao, naveo intervju s pokojnim Branimirom Donatom, koji je, kaže, pročitala u jednim hrvatskim novinama. Meni, pak, koji sam taj intervju radio, tad biva drago, jer ako je ona, potaknuta jednim novinskim razgovorom, krenula pisati romane koji su važni hrvatskoj književnosti, tad mora da je bio dobar i taj moj intervju.

Sibila Petlevski je i redovita profesorica na zagrebačkoj kazališnoj akademiji, bila je dugogodišnja predsjednica nacionalnog PEN centra, a svojedobno su uvrede na njezin račun, izrečene na godišnjoj skupštini Društva hrvatskih književnika, navele skupinu pisaca da osnivaju Hrvatsko društvo pisaca. Danas se toga, možda, već slabije sjećam, ali bio sam jedan od njih. I koliko god se čovjek katkad mimoilazio s vlastitim sjećanjima, pa mu se učinilo da već živi nekoliko različitih života, tako da razlozi i sklonosti iz njegove prošlosti više nemaju nikakve veze s njegovim današnjim razlozima i sklonostima, ne bih u toj stvari ni danas drukčije postupio. Istina, nisu tad, na godišnjoj skupštini DHK, Sibili prijetili užetom, kamom, ni maljem, nisu je protjerivali iz Hrvatske, niti su vrijeđali njezine bližnje. Samo su bili nepristojni prema toj dami i prema tom važnom hrvatskom književniku. Samo su iz njezina prezimena javno izlučivali njezino makedonsko podrijetlo. A to je samo po sebi prostakluk, donekle tipičan za jedan soj hrvatskih književnika, prostakluk koji se teško može prečuti, prostakluk koji od slučajnoga, nezainteresiranog promatrača, učini saučesnika. Morao sam tada biti uz Sibilu Petlevski, jer mi je izrazito neugodna bila već i sama pomisao da ću sutra, nakon te skupštine DHK, ići istim ulicama kao i ona, i da ću je sresti, i da će tad iz mene, protiv moje volje, izvirati sve one uvrede koje su joj uputili. Mogao sam to otkloniti samo tako da u novinama napišem članak protiv tih ljudi, a zatim da sudjelujem u osnivanju društva koje će štititi Sibilu Petlevski (i druge koji bi se našli u njezinom položaju).

Tonka Maroevića upoznao sam malo po doseljenju u Zagreb. Ponekad bismo sjedili kod tadašnjega zajedničkog prijatelja i izdavača. Jednom ili dvaput zajedno smo vlakom putovali u Trst, živi se napričali i dobro upoznali. Tonko je već u rukopisu čitao moju knjigu pjesama »Preko zaleđenog mosta«, a mojoj je prevoditeljici na talijanski, još jednoj zajedničkoj prijateljici, pomagao da načini prijevod knjige »Hauzmajstor Šulc«, koja će kasnije, u Italiji, biti vrlo zapažena i nagrađena. Zahvalan sam Tonku Maroeviću na svemu tome, kao i na romanu Gregora von Rezzorija »Hermelin u Černopolu«, koji mi je poklonio, upamtivši da se interesiram za Rezzorija. Dobar je to detalj, jer pokazuje koliko je Tonko Maroević pažljiv u razgovoru i koliko je osjetljiv na druge ljude: samo jednom sam mu spomenuo Rezzorija, a on je zapamtio!

Dobar je pjesnik, vješt versifikator i sjajan zvonjeličar. Tonko sastavlja sonete, kao što drugi ljudi sastavljaju rebuse ili ispunjavaju križaljke. To mu je strast, hobi i stvarna profesija, u ovim nepjesničkim vremenima, kada svaki pjesnik mora imati neko ozbiljno građansko zvanje. Svoje sonete posvećuje bliskim ljudima. Tako im ukazuje počast i čini veselje, ali što je puno važnije: tako on pokazuje da misli na njih. Lijepo je imati Tonka Maroevića za prijatelja, jer čovjek tada, pretpostavljam, osjeća da prijatelj na njega misli, da se brine, po bibliotekama i antikvarijatima traži knjige kojim će ga darivati. Kada mu je teško, kada ga nešto boli, kada je zabrinut ili se plaši, dobro mu je znati da Tonka Maroevića ima za prijatelja. Da sam mogao birati, ili da umijem prijateljevati s takvima, Tonka bih jednom davno odabrao za prijatelja.

Sibila Petlevski i Tonko Maroević s darom, strašću i vještinom interpretiraju tuđe tekstove. To dolazi s obrazovanjem, a njihovo je obrazovanje golemo. Interpretacija tekstova je i važan dio njihovoga posla. Ovo bi oni, vjerujem, interpretirali bolje od mene, jer ja sam, ipak, pomalo subjektivan:

»Kao što se vidi, nisu ga naciljali, kao što nisu naciljali i mnoge druge mete koje su smaknuli drugi. Skupe su granate, a i ne diže se ruka na rđu.«

Za razliku od N. M. (62) i V. V. (60), Sibili i Tonku ne trebaju vremeplovi da bi se suočili s frazom koju su urednički potpisali, jer njihova šutnja i pristajanje jednako zvone kao da smo u 1941. ili u bilo kojoj drugoj godini. S prethodnom dvojicom njih veže vječito isti društveni oportunitet, koji je shvatljiv i zajednički svima koji ne žive sami kao psi. Istina, u Hrvatskoj je taj oportunitet, možda, malo žešći i tvrđi nego drugdje, jer zaboga, pojavi nam se katkad pred očima uže, nađu nam se u rukama kama, malj, i onda se granice našeg oportuniteta pomiču mimo granice društvenoga kontakta, probijaju ljudsku kožu, prosipaju po cesti utrobu. U nas, u Hrvatskoj, kao i u našim balkanskim susjedstvima, uostalom, valja voditi računa o tome da se katkad treba ponašati i mimo naloga društvenosti. Ali ne sumnjam da su Sibila i Tonko dobro razmislili i procijenili prije nego što su potpisali trobroj »Književne republike«, i u njemu dvije rečenice. Ne vjerujem da im je bilo ugodno kad su im se prsti našli među mojim crijevima. Ali eto, moralo se!

Zbog to mi se dvoje hrvatskih književnika učinilo, dok sam izlazio na parkiralište ispred policijske stanice, da se ovdje, možda, radi o rastavi. Ako je tako, ili ako tako mora biti: meni mrtva, a njima živa hrvatska književnost! Šalim se, naravno da se šalim, a šala mi je tako neuspjela zbog osjećaja nelagode koji me sasvim ispuni kada pomislim da prolazim istim ulicama kao Sibila i Tonko, i da bi se moglo dogoditi da ih sretnem.

Ne razumijem zašto mi je toliko neugodno i zašto, zamišljajući naše mimoilaženje, njihove dvije rečenice doživljavam kao svoje vlastite, a njih doživljavam kao sebe, premda mojih prstiju nikada nije bilo, niti će biti, u njihovim utrobama. Draga Sibila, dobri Tonko... Oni su za takvo što previše pristojni.

Ne skidam sunčane naočale ni kada je oblačno. Sunčane naočale čovjeku pružaju iluziju da ne vidi ni ono što vidi i da ne sreće one koje je već stotinu puta sreo. Sunčane naočale su naočale slijepca.

# *Napomena uz izbor*

Tekstovi iz ove knjige objavljivani su u autorskoj rubrici Subotnja matineja. Osim teksta »Thomas Bernhard i malograđanska ljubav prema hrvatstvu«, objavljenog u autorskoj rubrici Sumnjivo lice, te »Hasan, žudnja za prijateljem«, tiskanog u Arteriji, tjednome kulturnom prilogu Slobodne Dalmacije. Tekst »Sibila i Tonko, na kraju« pisan je samo za ovu knjigu i nije prethodno objavljivan.

# *Bilješka o piscu*

Miljenko Jergović (Sarajevo 1966) pisac je i novinar. Objavljuje prozu, poeziju i esejistiku, kolumnist je Jutarnjeg lista, autor i suurednik časopisa ajfelov most, na www.jergovic.com.

## *Sadržaj*

DIZAJN NASLOVNICE
*Vesna Veselić*

FOTOGRAFIJA NA NASLOVNICI
*Vjekoslav Skledar*

OBRADA FOTOGRAFIJE
*Mirjana Capari*

LEKTURA
*Ana Bogišić*

GRAFIČKA PRIPREMA
*Durieux, Zagreb*

TISAK
*Slobodna Dalmacija*

ISBN 978-953-300-224-8

CIP zapis dostupan u računalnom katalogu

Nacionalne i sveučilišne knjižnice u Zagrebu pod brojem 788427.

Tiskanje je dovršeno u prosincu 2011. godine.